ACTIVANDO LOS DONES DEL ESPÍRITU SANTO

MANUAL

GEORGE PANTAGES

George Pantages Ministries

Derechos Reservados © 2019

Activando Los Dones del Espíritu Santo Manual

Por George Pantages

Impreso en los Estado Unidos de Norte América

ISBN 978-0-9989538-7-8

Todos los derechos son reservados por el autor. El autor garantiza que todo el contenido es original y no incumplen con los derechos legales de otras personas u obras. Ninguna parte de este libro puede reproducirse de ninguna forma sin el permiso del autor.

Al menos que se mencione, todas las referencias bíblicas son de la Versión Reina-Valera 1960 © Sociedades Bíblicas en América Latina, 1960. Renovado© Sociedades Bíblicas Unidas, 1988.

Evangelistas David & Missti Jones

DEDICACION

Hay metas y linderos en la vida de cada persona. Las personas que conocemos que van y vienen a lo largo de nuestra vida tienen la posibilidad de impactarnos tanto que nuestra vida nunca es la misma. La excelente pareja a la que está dedicado este libro, David y Missti Jones han tenido ese tipo de efecto en mí. Missti, sin ser un ángel, es verdaderamente mi "ángel guardián". Desde que la conocí hace algunos años, mi comprensión del uso de los ángeles en el ámbito de lo milagroso ha crecido enormemente. Aunque ella es tan sensible al poder de los ángeles, no ha dejado que su singular ministerio se le suba a la cabeza. Uno de los grandes atributos que ella posee es su humildad. Ella no deja que sus dones se interpongan en el camino de ser sumisa a su esposo (aunque cuando ambos estaban en el servicio militar, ella en el Ejército y él en la Fuerza Aérea el rango de ella era mayor) el respeto por la cadena de mando la mantiene bajo control. Son la pareja perfecta ya que el fuerte de David es en el área de la demonología, mientras que el fuerte de ella está en la angelología.

Missti de vez en cuando, me deja un mensaje de texto porque ella puede ver peligro inminente antes que sucede. Cuando compramos nuestra casa hace un par de años (que estaba abandonada en ese momento) nos advirtió de tal peligro. Cuando entramos en la casa por primera vez, la puerta estaba abierta, los ventiladores de techo estaban encendidos, había comida en el refrigerador, en realidad, alguien más estaba viviendo en la casa. Cuando llamamos a la policía, nos pidieron que saliéramos de la casa mientras la revisaban. Encontraron un arma y drogas que podrían haber sido utilizadas para hacernos daño. Se evitó el peligro debido a la advertencia que ella nos dio.

Estoy muy agradecido de que el Señor los haya traído a ambos a nuestras vidas para hacernos más efectivos en el reino de Dios.

APRECIACIÓN

Me gustaría tomar el tiempo para agradecer a las siguientes personas por su contribución en la publicación de este libro:

Michelle Levigne - Editora
Mlevigne.com

Marvin Calderón - Diseño de portada de libro
Mrvn.ECalderon@gmail.com

Adiel Sandoval - Traducción al español

Maria Pantages - Composición tipográfica

Su profesionalismo y experiencia es una verdadera ayuda en todo este proceso, haciendo que mi libro sea mucho mejor de lo que es realmente.

TABLA DE CONTENIDO

INTRODUCCIÓN 13

DONES DEL ESPÍRITU SANTO: EN TEORÍA 17

DE DONDE VIENEN NUESTRAS CREENCIAS 17

TRATANDO CON PRESUNCIÓN 21

    PRESUNCIÓN no es FE 21
    IDENTIFICANDO PECADOS PRESUNTUOSOS 25
    PLAN TORCIDO DE SATANÁS 45
    6° (GRADOS) DE SEPARACIÓN 47
    EL ENCHILADA GUY (HOMBRE) 50
    LA PRESUNCIÓN DEL REY SAÚL 53
    LA PRESUNCIÓN DE EVA 55
    EL PRESUNTUOSO ERROR DE SATANÁS 58

HACIENDO UN CAMBIO PARADIGMA 61

    PERTURBANDO NUESTARA VISIÓN 67
    PERDER UN OJO O MORIR 68

POR QUÉ DIOS NO SANA 73

    EL VALOR REDENTOR DEL SUFRIMIENTO 79

DONES DEL ESPÍRITU SANTO: DEFINICIONES & APLICACIONES 83

LOS 9 DONES DEL ESPÍRITU SANTO 85
SEIS SENTIDOS DEL ESPÍRITU SANTO 85
UNA EXPERIENCIA QUE NUNCA OLVIDARÉ 91
BABY I'M THE LUCKY ONE -(CARIÑO YO SOY LA AFORTUNADA)...... 94
ALÉRGICA A LA PIMIENTA 95
LA PALABRA DE CIENCIA 97
EL FALSO PROFETA ES EXONERADO 97
DESCUBIERTA ANTES DE QUE FUERA DEMACIADO TARDE................ 99
MENSAJES QUE NO QUERIA ENTREGAR 100
JUGANDO HANGMAN (AHORCADO)... 101
NO SIEMPRE PUEDES DECIR LO QUE SABES 103
EL DISCERNIMIENTO DE ESPÍRITUS..................................... 105
LA JOVENCITA CON MAQUILLAJE LILA.. 107
DEMONOLOGÍA APOSTÓLICA.. 109
(DAVID & MISSTI JONES).. 109
LAS CINCO ETAPAS DE POSESIÓN DEMONICA 117
LA PALABRA DE SABIDURÍA 137
EJEMPLOS DE UNA PLABRA DE SABIDURÍA 138
EL DON DE FE... 141
UNA GRAN LECCIÓN APRENDIDA EN MEXICO....................................... 141
LOS DONES DE SANIDAD 145
MAS DE UN DON... 145
UNA PALABRA IMPORTANTE DE CONSEJO 146
UNA EXPERIENCIA EN WALMART.. 146

EL HACER MILAGROS 149

    ORANDO POR LLUVIA 149

    REDUCIR LOS TUMORES 150

    UNA BEBÉ SORDA ES SANADA 152

DIVERSOS GÉNEROS DE LENGUAS 155

    UN ERROR COMÚN EXPUESTO 155

LA INTERPRETACIÓN DE LENGUAS 157

    INTERPRETACIÓN NO TRADUCCIÓN 157

    LA MAYOR TENTACIÓN 158

EL DON DE PROFECÍA 159

    DOS NIVELES DE PROFECÍA 159

    UN JOVEN INTENTA ENGAÑARME 159

AGRUPANDO LOS DONES DEL ESPÍRITU SANTO
(DIAGRAMA} 163

    DONES NO SON PARA ESPECTÁCULO 165

    REY CIRO: SIERVO DE DIOS 168

CÓMO EMPEZAR 171

    BUSQUE A DIOS NO LOS DONES 171

    PRACTICE, PRACTICE, PRACTICE 175

    DESQUITE 176

    LA SEMILLA ESTÁ EN SÍ MISMA 177

EJEMPLOS DE SEÑALES 179

    UNA SEÑAL QUE NUNCA OLVIDARÉ 180

    DIOS LLAMA SU NOMBRE: ROSA 181

    LAS LENGUAS MÁS HERMOSAS QUE HE ESCUCHADO 184

TRATANDO CON CÁNCER 187

    ECHAR A SATANÁS A LAS PROFUNDIDADES 188

    CÓMO DIOS HA USADO EL AGUA A TRAVÉS DE LA HISTORIA 190

ECHANDO FUERA UN ESPÍRITU DE CÁNCER 191
EPÍLOGO **195**

INTRODUCCIÓN

El hombre más sabio que ha existido dijo: "No hay nada nuevo bajo el sol". Cuando comenzamos a discutir lo que creemos y cómo llegamos a creerlo, es muy raro que hayamos llegado a nuestras respectivas creencias por nuestro propio estudio. En realidad, la mayoría de lo que entendemos como verdad nos ha sido transmitida por maestros y personas respetadas. Se nos ha dicho que creer y **no** cuestionar a nuestras autoridades, y por respeto hemos caído en línea. En el mejor de los casos, hacemos una búsqueda muy ligera y superficial de las Escrituras para confirmar un poco las verdades que nos han sido transmitidas de generaciones anteriores. Pero, a decir verdad, solo seguimos el orden establecido y nos alineamos.

He aquí sólo algunos ejemplos de lo que estoy hablando. Nuestro estándar de santidad exterior, o más bien los estándares difieren de un estado a otro e incluso de una ciudad a otra. La forma en que nos vestimos se basa en quién está al frente de liderazgo en ese momento en particular. ¿Es necesario que tanto hombres como mujeres usen camisas y blusas de manga larga o se permiten las mangas cortas o las camisas sin mangas hoy en día? ¿Qué de el vello facial? Durante mucho tiempo, a los hombres se les ha pedido que se afeiten su rostro mientras que muchas iglesias permiten bigotes y barbas. Lo largo de los vestidos para las mujeres siempre ha estado a la vanguardia de nuestras discusiones de santidad. ¿Es bastante modesto usar una falda o un vestido debajo de la rodilla, o tienen que extenderse hasta el piso? ¿Y qué de la mujer usando pantalones, es eso ahora permitido? ¿Deberían las iglesias ahora poder permitir a sus miembros que vengan a los servicios vestidos casualmente o debería ser siempre de tipo formal? Yendo un poco más profundo, ¿qué tipo de adoración deberíamos presentar a Dios? ¿Debería ser algo demostrativo y enérgico con un caos controlado lo que domine los servicios de nuestras iglesias o debería ser algo más tranquilo, respetuoso y discreto? Finalmente, profundizando aún más en el lado espiritual, ¿qué hay de orar por los enfermos u orar para que alguien reciba el bautismo del Espíritu Santo? Nuestra costumbre ha sido casi siempre, llamar al altar a cualquier persona enferma para ungirlos con aceite creyendo que hemos hecho nuestra debida diligencia. Deberías ver algunas de las miradas extrañas que recibo cuando me niego a usar aceite para orar por los enfermos, como si fuera un pecado capital. El problema es, la mayoría de las personas no están sanando y por eso ellos no se molestan en presentarse ante Dios, porque en sus mentes nada va a suceder de todos modos. Si tomáramos el tiempo para obedecer las Escrituras que nos manda de *"Sanad enfermos"* (Mateo 10:8) y no solo orar por los enfermos, nuestros resultados serían mucho mayores de lo que estamos obteniendo a este punto.

DONES DEL ESPÍRITU SANTO: EN TEORÍA

DE DONDE VIENEN NUESTRAS CREENCIAS

Más o menos hemos llegado a la conclusión de que la mayoría de nuestras creencias no provienen de un estudio personal de la Biblia y convicción, sino más bien de lo que hemos aprendido de maestros respetados. Hay dos factores principales que usamos para determinar esas creencias: experiencia y tradición. Comencemos por analizar estos factores.

Hay varias razones por las cuales no creemos en los dones milagrosos del Espíritu Santo, y una de las razones más importantes es el hecho de que muchos no hemos visto ninguno con nuestros propios ojos. Si miramos más de cerca las experiencias de la iglesia de hoy, no podemos encontrar que sucedan milagros de la calidad del Nuevo Testamento ahora o incluso en la historia de la iglesia. Muchas veces, también existe la gran repulsión causada por el mal uso de los dones en el pasado que simplemente no permitirá que el cristiano común le crea a Dios por algo milagroso. Estamos dispuestos a tirar la fruta fresca con la podrida en lugar de tener que aguantar "ministerios proféticos" erróneos e ignorantes."[1]

Aquí hay algunas razones por las cuales muchos no creen que lo milagroso es para la iglesia de nuestro tiempo. Al comparar el ministerio de Jesús y los apóstoles con los ministerios de sanidad de hoy, ni siquiera rascamos la superficie de lo fuertemente que estos hombres fueron usados por Dios en el pasado.

Cuando Jesús y/o los apóstoles sanaron a los enfermos, las sanidades siempre fueron instantáneas. Encontramos que cuando el Señor y sus apóstoles sanaban a los enfermos, esas sanidades eran irreversibles y completas. También parecía que cuando Jesús y los apóstoles sanaban a alguien, siempre parecían sanar las enfermedades

---

[1] Jack Deere, Surprised by the Power of the Spirit (Michigan: Zondervan Publishing, 1993) P. 57

más difíciles (es decir, ciegos, sordos, resucitar a los muertos, etc.). Llegamos fácilmente a la conclusión de que Jesús y Sus apóstoles podían sanar cuando quisieran, bajo cualquier condición, y también siempre con éxito. En cambio, cuando miramos los ministerios de sanidad de hoy, los vemos muy incompletos. La mayoría de las sanidades son graduales, a veces parciales, e incluso a veces son reversibles. Existe la creencia de que estos "ministerios" fueron creados para brindar riqueza y prosperidad a quienes ministran de esa manera, y en consecuencia esto ha dejado un mal sabor de boca.[2]

¿Cómo, entonces, vamos a decidir qué creer? ¿Deberíamos creer que el cristiano en el mundo de hoy es capaz de duplicar los milagros que leemos con tanta frecuencia en la Biblia? ¿O fue solo para ese tiempo, algo reservado solo para los apóstoles? Si vamos a obtener una comprensión completa de lo que Dios quiere de nosotros en los tiempos que vivimos hoy, debemos basar nuestras creencias en las enseñanzas claras y específicas de las propias Escrituras. La tradición, por todo el bien que ha traído a nuestras vidas, debe dejarse de lado para

---

[2] (ibid. P 58)

soltar la gloria de Dios, permitiéndole moverse de la manera como Su Palabra lo demanda.

TRATANDO CON PRESUNCIÓN

Preserva también a tu siervo de las soberbias; Que no se enseñoreen de mí; Entonces seré íntegro, y estaré limpio de gran rebelión.

(Salmo 19:13)

Definición de presunción: Demasiado seguro: hecho o realizado sin permiso, correcto, sobrepasar los límites y tomar libertades.[3]

PRESUNCIÓN no es FE

La fe es suelta cuando Dios nos da una orden y la obedecemos. La obediencia es una de las mejores armas que Dios nos ha dado para derrotar a satanás y sus secuaces. La presunción, por otro lado, no es más que una buena idea iniciada por el hombre. Ambas son tan similares en la práctica que es extremadamente difícil distinguir la diferencia entre las dos. Para ayudarnos a entender el concepto de Fe vs. Presunción, podemos ir a las

---

[3] www.merriam-webster.com/dictionary/presuption

Escrituras en Mateo 13:24-30 para obtener una imagen más clara:

> *...El reino de los cielos es semejante a un hombre que sembró buena semilla en su campo; pero mientras dormían los hombres, vino su enemigo y sembró cizaña entre el trigo, y se fue. Y cuando salió la hierba y dio fruto, entonces apareció también la cizaña. Vinieron entonces los siervos del padre de familia y le dijeron: Señor, ¿no sembraste buena semilla en tu campo? ¿De dónde, pues, tiene cizaña? Él les dijo: Un enemigo ha hecho esto. Y los siervos le dijeron: ¿Quieres, pues, que vayamos y la arranquemos? Él les dijo: No, no sea que al arrancar la cizaña, arranquéis también con ella el trigo. Dejad crecer juntamente lo uno y lo otro hasta la siega; y al tiempo de la siega yo diré a los segadores: Recoged primero la cizaña, y atadla en manojos para quemarla; pero recoged el trigo en mi granero.*

Esta parábola explica cómo la cizaña fue plantada en secreto en un campo de trigo sin que el propietario lo supiera. La cizaña se parece al trigo y tratar de separarlas antes de la cosecha resultaría desastroso, puesto que no puedes distinguirlas. Solo en el momento de la cosecha cambian lo suficiente como para separarse del trigo, pero para ese tiempo ya se perdió gran parte de las ganancias del agricultor. Las ideas presuntuosas, debido a que son iniciadas por el hombre, no pueden obligar a Dios a hacer algo que no era Su idea original, sin importar cuán glorioso pueda sonar. ¡La presunción es realmente la fe de un hombre carnal!

Hay camino que al hombre le parece derecho; Pero su fin es camino de muerte.

(Proverbios 14:12)

Tuve una experiencia hace años cuando recién me convertí al Señor. Poco después de mi conversión, fui nombrado presidente de la juventud local. En una reunión de jóvenes del distrito, cada representante local fue asignado una cuota mensual. Para no ser avergonzado por nuestra falta de participación, decidí dar de mi bolsillo la cuota que se requería. Pensé que había hecho algo bueno, hasta que me llamaron a la oficina pastoral. El pastor comenzó a decirme cómo lo había avergonzado, haciéndolo mirar cómo mentiroso. En estado de shock, le dije que nunca hubo intención alguna. Luego me contó el resto de la historia. Secretamente había hecho un acuerdo con la junta del distrito para suspender todas y cada una de las cuotas de nuestra iglesia local al distrito, explicando que nuestra congregación era demasiada nueva y demasiada pequeña para cumplir con las obligaciones del distrito. Cuando la junta de distrito vio que el departamento de jóvenes había pagado su cuota, lo convirtió en mentiroso, avergonzadlo totalmente. Lo que al principio parecía como un buen gesto de mi parte resultó ser una pesadilla. Nunca más volví a hacer nada por el estilo sin consultar con el primero.

IDENTIFICANDO PECADOS PRESUNTUOSOS

Si identificar pecados presuntuosos es esencial para vivir una vida cristiana exitosa, erradicarlos es absolutamente necesario. Entonces, revisemos algunas presunciones falsas que perjudican nuestras bendiciones de lo alto.

¡Sanidades no eran automáticas![4] Jesús no podía sanar a cualquiera, en cualquier momento, en cualquier lugar, de inmediato.

> ... *el poder del Señor estaba con él para sanar.*
>
> *(Lucas 5:17)*

Si tomamos lo contrario de esa Escritura, eso significa que hubo momentos en que el poder del Señor no estaba presente para que Él sanara a los enfermos. De nuevo, lo que hizo Jesús no fue automático. Las siguientes Escrituras confirman esto. Dios sana de acuerdo a Su voluntad soberana,

---

[4] Jack Deere, Surprised by the Power of the Spirit (Michigan: Zondervan Publishing, 1993 P. 58

no conforme a la voluntad humana (Salmo 72:18; 103:3; 136:4; Éxodo 15:26).

Algunos años atrás, después de predicar mi mensaje y ministrar en el altar, recibí una nota de orar por una mujer que estaba muriendo de cáncer. Había decidido responder a la solicitud cuando el Señor me detuvo en seco. Él dijo: "Puedes ir a orar por ella si quieres, pero no la sanaré". Le respondí de esta manera: "Eso no suena bien. ¡Recuerda que se está muriendo!" Entonces el Señor abrió mi entendimiento y dijo: "Hace cuatro semanas le di a esta mujer la oportunidad de ser sanada. Un evangelista que visitó esta misma congregación la llamó específicamente, declarando dónde estaba el cáncer y que estaba dispuesto a sanarla al instante. Por vergüenza de pasar al frente, se perdió la oportunidad de su vida, creyendo que le daría otra oportunidad en el futuro. Tomé la decisión de no hacerlo."

Solo un hombre fue sanado en el estanque de Betesda. Este hecho va en contra de nuestra presunción, creyendo que Jesús sanará a cualquiera, en cualquier momento y en cualquier lugar. El estanque ese día estaba rodeada por una gran cantidad de personas que necesitaban sanidad, pero el Señor eligió sanar a un solo hombre. Esta es la razón porque:

... De cierto, de cierto os digo: No puede el Hijo hacer nada por sí mismo, sino lo que ve hacer al Padre; porque todo lo que el Padre hace, también lo hace el Hijo igualmente

(Juan 5:19)

Si crees que la sanidad es automática, ¿por qué alguien no ha pensado en ir a todos los hospitales, orar por los enfermos y sanarlos a todos? Los siervos en realidad no tienen la última palabra sobre qué tipo de sanidad ocurrirá. Dios decide quién recibe la bendición y dirige a sus siervos consecuentemente. Hay una verdad que regularmente se pasa por alto en cuanto a la sanidad de personas enfermas. No toman en cuenta la voluntad de la propia persona enferma. Nunca puede tomar por alto la voluntad de la persona y obligarla a hacer algo que simplemente no quiere hacer. Nunca olvidaré a una joven que conocí hace varios años, que estaba restringida a una silla de ruedas debido a su incapacidad para caminar. Durante el inicio del servicio en el que luego predicaría, el Señor me reveló cuánto quería sanarla. Bajé de la plataforma, emocionado en compartir lo que el Señor me había revelado. Le dije: "El Señor me ha mostrado que esta noche es la noche en que te sanará si así lo deseas". Ella dijo algo que nunca olvidaré: "Por favor, no ore por mí

27

porque no quiero ser sanada". Aturdido por su respuesta, hice la pregunta que cualquiera hubiera hecho: "¿Por qué?" "¡Si Dios me sana esta noche y puedo caminar sin el uso de esta silla de ruedas, el gobierno me quitará la ayuda monetaria mensual que recibo, y NO QUIERO TRABAJAR!" ¡Nunca se puede asumir que todos los que necesitan sanidad! en realidad, quieren ser sanados. Sea como fuere, debe haber un acuerdo entre la persona y Dios para que el Señor haga lo que solo Él puede hacer.

> *Y no pudo hacer allí ningún milagro, salvo que sanó a unos pocos enfermos, poniendo sobre ellos las manos. Y estaba asombrado de la incredulidad de ellos...*
>
> *(Marcos 6:5-6)*

Nuevamente, he sido enviado a iglesias en particular que no necesariamente creen en lo milagroso. Recuerdo haberle preguntado al Señor por qué regresé cuando sabía que no pasaría nada. Su respuesta realmente me asombró cuando dijo:

"Te he enviado aquí para que recibas una buena ofrenda de amor". Respondí: "Señor, sabes que no trabajo de esa manera". Luego continuó diciendo: "No te preocupes por eso, porque tampoco a mí me escuchan." ¡Solo me reí entre mí!

Hay otro testimonio que me gustaría compartir que dice mucho sobre por qué alguien no se sana cuando lo están pidiendo.

Pedís, y no recibís, porque pedís mal, para gastar en vuestros deleites.

(Santiago 4:3)

Hace varios años, mientras predicaba un avivamiento en el estado de Texas, una joven de unos veinte años llegó a la iglesia en una silla de ruedas. Las primeras noches, el Señor me había guiado a orar por personas que buscaban el Espíritu Santo, pero no por sanidad. Lo que me sorprendió fue que ella nunca intentó buscar este don. El último día del avivamiento, llegamos a la iglesia casi al mismo tiempo que ella. Por supuesto, alguien tuvo que llevarla a la iglesia en una camioneta especializada, y mientras ella se dirigió al servicio se notaba por su lenguaje corporal que estaba allí por una razón y solo una: Ella quería ser sanada para poder dejar la silla de ruedas para siempre. ¿Por qué? Porque el accidente se llevó lo que más amaba en la vida, bailar toda la noche. Cuando trato con personas discapacitadas, trato de ayudarlas a comprender que el mayor regalo que Dios podría otorgarles no es ser sanados físicamente, sino recibir Su Espíritu y Su salvación para que algún día puedan hacer del cielo su hogar. Su amargura hacia Dios porque Él le había quitado lo que ella más disfrutaba no la ayudaría a recibir su mayor deseo. En la última noche del avivamiento, la había alentado a buscar el Espíritu de Dios, pero ella se negó. Debido a su amargura, dejó la iglesia ese día de la misma manera que había llegado, en una silla de ruedas, sin la capacidad de caminar.

La sanidad tampoco fue automática para los apóstoles...

...Porque separados de mí nada podéis hacer.

(Juan 15:5)

He tomado esta parte de la Escritura muy en serio y la he aplicado a mi ministerio, para disgusto de las muchas personas con las que me encuentro y que me he negado a orar. Como sé que la sanidad no es automática, si no recibo una palabra específica de Dios sobre cómo orar por ellos y qué hacer para conectar sus acciones con el milagro, solo estaría dando vueltas en círculos sin lograr nada. Prefiero que se disgusten conmigo que con Dios, de modo que cuando intenten recibir respuestas en el futuro, puedan estar seguros de que sus peticiones serán respondidas como corresponde.

Pedro dejó en claro que este poder fue iniciado por la voluntad soberana de Dios y solo por la voluntad soberana de Dios.

... Varones israelitas, ¿por qué os maravilláis de esto? ¿o por qué ponéis los ojos en nosotros, como si por nuestro poder o piedad hubiésemos hecho andar a éste? El Dios de Abraham, de Isaac y de Jacob, el Dios de nuestros padres, ha glorificado a su Hijo Jesús...

(Hechos 3:12-13)

El apóstol Pablo confirmó la declaración de Pedro cuando también tuvo experiencias cuando su fe no fue suficiente para sanar a los enfermos. Aquí hay tres ejemplos:[5]

1. Pablo no pudo sanar Epafrodito:

Mas tuve por necesario enviaros a Epafrodito, mi hermano y colaborador y compañero de milicia, vuestro mensajero, y ministrador de mis necesidades; Pues en verdad estuvo enfermo, a punto de morir; pero Dios tuvo misericordia de él, y no solamente de él, sino también de mí, para que yo no tuviese tristeza sobre tristeza.

(Filipenses 2:25, 27)

2. Pablo dejó a Trófimo enfermo en Mileto. "Erasto se quedó en Corinto, y a Trófimo dejé en Mileto enfermo." (2 Timoteo 4:20)

---

[5] (ibid. P 63)

3. Pablo exhortó a Timoteo a tomar un poco de vino por causa de sus problemas estomacales:

Ya no bebas agua, sino usa de un poco de vino por causa de tu estómago y de tus frecuentes enfermedades.

(1 Timoteo 5:23)

Incluso una unción especial no podría garantizar un 100 por ciento éxito para los apóstoles, miren Lucas 9:1 y Mateo 10:1.

Habiendo reunido a sus doce discípulos, les dio poder y autoridad sobre todos los demonios, y para sanar enfermedades

(Lucas 9:1)

Con estas Escrituras en mente, hubo una situación en la que un padre que necesitaba sanidad para su hijo fue a los discípulos en busca de auxilio. Como no lo pudieron sanar, el padre hizo su petición al Señor.

Señor, ten misericordia de mi hijo, que es lunático, y padece muchísimo; porque muchas veces cae en el fuego, y muchas en el agua. Y lo he traído a tus discípulos, pero no le han podido sanar... ...Traédmelo acá. Y reprendió Jesús al demonio, el cual salió del muchacho, y éste quedó sano desde aquella hora. Viniendo entonces los discípulos a Jesús, aparte, dijeron: ¿Por qué nosotros no pudimos echarlo fuera? Pero este género no sale sino con oración y ayuno.

(Mateo 17:15, 16, 17, 18 19, 21)

Antes de hacerme diabético, era algo común para mí entrar en ayunos prolongados con frecuencia. Dependiendo de la dificultad de la situación en la que me encontrara, ayunaba por períodos más largos de hasta veintiún días (con solo agua). Un día recibí mis instrucciones específicas para ir a orar por una señora de nuestra iglesia local que padecía de cáncer de cérvix en etapa III. Antes de hacerlo, me sentí guiado por el Señor a comenzar un ayuno absoluto durante tres días para prepararme. En la tarde del tercer día, literalmente pensé que iba a morir. Nunca en mi vida había sentido tanta debilidad, cansancio y letargo, junto con la confusión en mi espíritu. La confusión realmente me estaba volviendo loco, porque en el pasado, tres días de ayuno nunca me habían afectado tan negativamente. Pronto descubriría por qué. Sin embargo, había decidido terminar hasta el fin este tiempo de consagración, y cuando desperté en la mañana siguiente descubrí el por qué. Estaba programado ver a la joven y su esposo más tarde ese día, y cuando llegué allí, la Palabra de Ciencia entró en acción y el Señor comenzó a desenvolver algunos problemas que eran la raíz de tan debilitante enfermedad. De hecho, comencé a ministrar primero al esposo, porque era el trato sin piedad hacia su esposa lo que causó el trauma físico. El cáncer cervical estaba creciendo rápidamente, y si se dejaba que siguiera su curso, ella moriría muy pronto. Por supuesto, los médicos querían efectuar una histerectomía, que a su vez no le permitiría tener hijos, lo que para ella era algo inaceptable. Se sentía entre la espada y la pared. Se estaba muriendo de cáncer, su matrimonio se estaba desmoronando y estaba insegura en su relación con Dios. La reacción adormecida en ella al escuchar lo que Dios me había revelado acerca de su esposo, fue lo que conmovió más al esposo. Inmediatamente él comenzó a llorar y le pidió perdón a su esposa. Antes de ponerle las manos encima para orar por ella, el Señor me dijo que le preguntara qué quería, niño o niña. Ella inmediatamente exclamó que una niña, estuve de acuerdo con ella en nuestra oración y esperamos la confirmación del médico sobre su sanidad. Poco después, nuestro pastor hizo un anuncio de que no solo ya no tenía cáncer, sino que también estaba embarazada de una niña. Después del tiempo de ayuno, Dios me reveló por qué ese último día fue tan traumático. Yo realmente fui puesto en su lugar, para que ella viviera un día más y lograra entrar a su destino. Cuando surgen situaciones imposibles, la única forma en que podemos atravesar esas barreras es a través de la oración y el ayuno a la antigua.

Uno de los mayores errores en la interpretación de las Escrituras se produce cuando creemos erróneamente que el ministerio de sanidad de los apóstoles era lo mismo que el don de sanidad. Permítanme señalar **algunas** diferencias.[6]

1. Los dones espirituales varían en intensidad y fuerza.

   Tenemos diferentes dones, según la gracia que nos es dada... (Romanos 12:6)

---

[6] (ibid. P. 64, 65

2. Pedro y Pablo también tenían poderes de sanidad extraordinarios.

De tal manera que aun se llevaban a los enfermos los paños o delantales de su cuerpo, y las enfermedades se iban de ellos, y los espíritus malos salían.

(Hechos 19:12)

3. El Nuevo Testamento presenta a los apóstoles como los individuos más dotados dentro de la iglesia. La frase **señales y maravillas (Teras)** se usa en lugar del término **dones (Carisma)** para describir su ministerio de sanidad. Aquí hay algunos ejemplos de señales y maravillas en la Biblia:

- Las plagas (Deuteronomio 4:34; 6:22; 7:19; 23:9)
- El ministerio de Jesús (Hechos 2:22)
- El ministerio de los apóstoles
- El ministerio de Esteban (Hechos 6:8) y Felipe (Hechos 8:6)

Las señales y maravillas son un derramamiento inusual del Espíritu Santo donde se producen milagros en abundancia (Hechos 5:12; 8:7). Señales y maravillas ocurrirán en medio del avivamiento relacionado con la proclamación del evangelio.

En resumen, esto es lo que hemos aprendido:

Hay una distinción entre señales y maravillas y los dones de sanidad. Las señales y maravillas están relacionadas con el avivamiento en la proclamación del evangelio, mientras que el don de sanidad se da a la iglesia para su edificación (1 Corintios 12:7).[7] Es incorrecto insistir en que el ministerio apostólico de señales y maravillas es el estándar para los dones de sanidad dados al cristiano promedio del Nuevo Testamento. Todo lo que tenemos que hacer es examinar la forma en que Dios bendice a otros ministerios en la iglesia hoy en día. No hay problema en creer la declaración anterior en cualquier otro ministerio. Es hora de creer lo mismo cuando se trata de señales y maravillas. No todos somos grandes predicadores, ni todos los maestros somos profundos en nuestras presentaciones. Hay varios niveles de experiencia que aceptamos fácilmente, entonces, ¿por qué esta área de

---

[7] (ibid. P 66)

ministerio (es decir, sanidad) debería ser diferente? También tendríamos que incluir a aquellos involucrados en el ministerio de música, porque nuevamente, hay diferentes niveles de talentos, ya sea cantar y/o tocar un instrumento.

No debemos sacar como conclusión de que las señales y maravillas deben haber cesado con la muerte de los apóstoles. El hecho de que no los experimentemos no significa que Dios no quiera realizarlos. A menudo sucede en el campo misionero, ¿por qué no puede ser lo mismo aquí en los Estado Unidos?

Cuando hablamos en términos absolutos, eso nos llevará muchas veces a grandes decepciones. Creer que la sanidad nunca es condicional es una de esas creencias erróneas que ha causado tanta confusión en el cuerpo de Cristo. Aquí hay tres Escrituras que refutan esa afirmación.

Pedid, y se os dará; buscad, y hallaréis; llamad, y se os abrirá. Porque todo aquel que pide, recibe; y el que busca, halla; y al que llama, se le abrirá.

(Mateo 7:7-8)

La Escritura ha sido tan mal entendida por tanto tiempo y, en consecuencia, ha traído mucha confusión al cuerpo de Cristo cuando lo que se ha pedido no se recibe. Puedo darle al menos dos Escrituras que realmente descalificarán la Escritura anterior porque Dios no contesta.

Ciertamente Dios no oirá la vanidad (no la voluntad de Dios), Ni la mirará el Omnipotente.

(Job 35:13)

Si en mi corazón hubiese yo mirado a la iniquidad, El Señor no me habría escuchado.

(Salmo 66:18)

Pedir por cosas que son "deseadas", pero no necesariamente "necesarias," no es una petición en la que Dios desperdicie su tiempo. Nuevamente, las Escrituras confirman esto:

Pedís, y no recibís, porque pedís mal, para gastar en vuestros deleites.

(Santiago 4:3)

Si quisiereis y oyereis, comeréis el bien de la tierra

(Isaías 1:19)

Creo que la mayoría de las personas leen erróneamente esta Escritura en particular, y creen que la primera parte de la Escritura usa la palabra "o" como para hacer una elección entre las dos en lugar de un "y" que nos da a entender que se ocupa de ambas, querer y obedecer. Digo esto porque en muchos casos donde las personas esperan una respuesta de Dios, piensan que usando una u otra recibirán lo que están buscando. Pero para que el Señor provea "según sus riquezas en gloria" (Filipenses 4:19) el que pide debe estar dispuesto y debe ser obediente para recibir su respuesta. Aquí hay un ejemplo perfecto en las Escrituras.

...Un hombre tenía dos hijos, y acercándose al primero, le dijo: Hijo, ve hoy a trabajar en mi viña. Respondiendo él, dijo: No quiero; pero después, arrepentido, fue. Y acercándose al otro, le dijo de la misma manera; y respondiendo él, dijo: Sí, señor, voy. Y no fue.

(Mateo 21:28-30)

Originalmente, el primer hijo se negó a ir a la viña de su padre, pero después de un cambio en su corazón decidió trabajar. La única diferencia entre él y su hermano, que originalmente dijo que iría y no fue, fue el hecho de que nunca fue más allá de palabras vacías. No fue hasta que el primer hijo pensó en su respuesta original que aprovechó la oportunidad hacer las cosas bien al ir a trabajar. En ese momento, él estaba ambos dispuesto y obediente. Conozco a varias personas que viven mucho como el segundo hijo. Solo hablan y no hacen. En última instancia, estas personas no tienen idea de por qué nuestro Padre celestial no los elige en el futuro para trabajar en su viña. ¡Disposición y obediencia siempre ganara el premio!

> *Que si confesares con tu boca que Jesús es el Señor, y creyeres en tu corazón que Dios le levantó de los muertos, serás salvo*
>
> *(Romanos 10:9)*

Creo esta Escritura de todo corazón, pero la puerta a la salvación no se puede abrir a nadie hasta que se tome el primer paso del arrepentimiento.

> *Os digo: No; antes si no os arrepentís, todos pereceréis igualmente*
>
> *(Lucas 13:3)*

El proceso continúa después del arrepentimiento con el bautismo en agua en el nombre de Jesucristo, de acuerdo con Hechos 2:38, y recibirás el don del Espíritu Santo con evidencia de hablar en otras lenguas.

Un corto repaso:

- Confesar
-Arrepentirse
-Bautismo en agua en el nombre de Jesucristo
-Recibir el Espíritu Santo según Hechos 2:38

Después de que cada paso se pone en acción, la salvación se ha completado.

PLAN TORCIDO DE SATANÁS

La trampa torcida de satanás para cada cristiano nacido de nuevo es sustituir su fe por presunción. Cuando la presunción toma las riendas, Dios no está obligado a responder nuestras peticiones porque nunca fueron iniciadas por Dios, sin importar cuán fantástica pueda sonar la idea. Cuando la presunción toma el lugar de la fe, hace que las respuestas a nuestras oraciones sean muy impredecibles. Entonces, tenemos tanto miedo de tomar un paso de fe porque no hay confianza si el Señor va a responder a nuestra petición, entonces, ¿por qué arriesgarnos cuando no hay seguridad de que Dios nos va a respaldar?

Y esta es la confianza que tenemos en él, que si pedimos alguna cosa conforme a su voluntad, él nos oye. Y si sabemos que él nos oye en cualquiera cosa que pidamos, sabemos que tenemos las peticiones que le hayamos hecho.

(1 Juan 5:14-15)

La Escritura anterior es clave para nuestro éxito en Dios. Nuestra confianza siempre vendrá de orar Su voluntad, y no la nuestra, y una vez que sepamos eso, Él nos escucha sabemos que la respuesta ya está en camino. Aquí hay algunos ejemplos bíblicos de presunción y lo devastador que han sido sus efectos en el pueblo de Dios.

Las Escrituras registran en Génesis 4:1-8 un ejemplo clásico de presunción al más alto nivel. El Señor había pedido a dos hermanos, Caín y Abel, que le ofrecieran un sacrificio. El sacrificio que Dios había pedido era un sacrificio de sangre y debía prepararse según lo requerido. Caín pensó que tenía una mejor idea y sustituyó el sacrificio requerido por un sacrificio de su propia elección. Presumió que si le daba al Señor un sacrificio de lo que hacía mejor (es decir, cultivar), eso sería tan bueno y quizás mejor que lo que el Señor estaba requiriendo. Presumió que el sacrificio no tenía significado espiritual, y mientras que fuera una ofrenda presentada al Señor, eso sería suficiente para complacerlo. Entró en un estado de shock total cuando el Señor rechazó ese sacrificio, y en su amarga reacción al rechazo de Dios salió y mató a su propio hermano. El rechazo de Dios a su sacrificio trajo a la superficie lo que realmente estaba dentro de su corazón. Caín no estaba sirviendo a Dios por amor y aprecio. Aprendió a seguir el programa, haciendo apenas lo suficiente para sobrevivir.

6° (GRADOS) DE SEPARACIÓN

6° (grados) de separación [8] es una teoría que afirma que cualquier persona puede estar conectada a otra por no más de seis personas. Ya sea que satanás use este sistema exactamente o no, estoy seguro de que usa algo similar. Así es como funciona: satanás está en la cima de nuestros adversarios, quien luego ordena a su demonio superior en un país en particular, quien luego ordenará a su asistente en un estado de ese país, quien luego ordena al demonio superior a cargo de la ciudad, que luego ordena al demonio a cargo de una iglesia local, que luego te influencia sin que sepas que esta persona ha sido enviada desde el infierno.

---

[8] www.urbandictionary.com/define

Si las operaciones encubiertas de satanás son tan estratégicas y casi indetectables, ¿De qué manera podremos evitar errores presuntuosos? Debemos basarnos en la Palabra de Dios y no a nuestras emociones. Su Palabra nos guiará independientemente de las circunstancias y de los resultados negativos. Mirar a la Palabra y no a las circunstancias mantendrá nuestras mentes en perfecta paz.

Tú guardarás en completa paz a aquel cuyo pensamiento en ti persevera; porque en ti ha confiado.

(Isaías 26:3)

Esta ingeniosa maniobra se ha utilizado eficazmente cuando la iglesia presume una cierta comprensión de la Escritura transmitida de generaciones anteriores, sin comprender el impacto total que la Escritura podría tener en nuestras vidas si nos profundizamos un poco más. Por ejemplo, mire Romanos 10:17 por un momento.

Así que la fe es por el oír, y el oír, por la palabra de Dios.

Muchos hijos de Dios han creído una verdad a medias que se convierte en un obstáculo para comprender el concepto de fe. A muchos de nosotros se nos ha enseñado que, cuando se nos presenta un fuerte desafío, ir de inmediato a la Palabra y encontrar una Escritura en la que podamos mantenernos firmes por fe hasta que Dios dé la victoria. Tantas veces que las personas han utilizado este método para encontrar sus respuestas, a la mayoría no les ha funcionado. Esa es la razón por la cual muchas personas pierden la esperanza de extender su fe, abandonándola por completo porque fracasan más veces de las que tienen éxito, y eso mi amigo, es una frustración total. ¿Dónde nos hemos equivocado? No hemos entendido que el apóstol Pablo no usa en Romanos 10:17 el término común para "palabra", que se traduce logos. Pablo elige en su lugar usar la palabra rhema. Ahora bien, logos a veces pueden ser rhema, pero no siempre. Logos es la Palabra escrita de Dios, mientras que rhema es la Palabra hablada de Dios. La mejor definición de rhema que he escuchado es esta: rhema es "una palabra específica, para una persona específica, para una situación específica." Una palabra específica que se nos da que lanza nuestra fe hacia lo milagroso, un viaje que tendremos que viajar solos sin la ayuda externa de otros. Eso es lo que hace que las personas verdaderamente obedientes sean malentendidas por la mayoría, porque no hay sentido o razón para poder explicar las cosas que Dios mismo está guiándonos a hacer.

EL ENCHILADA GUY (HOMBRE)

Aquí está uno de mis ejemplos "excéntricos":

En 2017, estuvimos ministrando en el estado de Washington durante la semana en una pequeña congregación. Todos respondieron muy bien a la Palabra predicada, pero lo que me llamó la atención fue una mujer en particular que respondía a todo lo que yo decía con una risa exuberante. Dio la casualidad de que después del servicio ella se me acercó con una petición sobre su esposo. Ella dijo: "Me gustaría pedir oraciones por mi esposo porque en este momento está hospitalizado. Mañana, los médicos deben decidir si le amputarán el pie o no. Estoy pidiendo al Señor que lo sane." He aprendido por experiencia de " *No impongas con ligereza las manos a ninguno* " (1 Timoteo 5:22) sin encontrar la raíz del problema. Inicialmente cuando recibí mis instrucciones, las rechacé pensando que podrían ser una trampa de satanás. Esto es lo que fui impresionado a decir: "Después del servicio esta noche, ve a visitar a tu esposo al hospital y sírvele un plato de enchiladas. ¡Estará bien por la mañana!" Ahora, puedo encontrar en las Escrituras el uso del aceite para sanar a los enfermos (Santiago 5:14), pero ¿enchiladas? Entonces di un paso de fe y lo dije en voz alta. Inmediatamente ella estalló con una carcajada, que terminó con: "Sí, yo puedo hacer eso." Cuando terminó el servicio y tuve la oportunidad de hablar con mi esposa, le dije que teníamos que salir del hotel a la mañana siguiente lo suficientemente temprano para escapar del ridículo que esperaba recibir al día siguiente. A la mañana siguiente, antes de salir del hotel, recibí un mensaje de texto con una foto. Comenzó con esto: "Nomas para dejarte saber del hombre de las enchiladas (enchilada guy)" Tenía miedo de leer el resto del texto, pero en la foto estaba un hombre en su bata de hospital devorando un plato de enchiladas. El resto del mensaje decía que después de despertarse a la mañana siguiente lo revisaron nuevamente, y para sorpresa de los médicos, ¡estaba sano por completo y se suspendió el procedimiento de amputación!

Just to let u know on the enchilada guy... got this text "DID YOU HEAR PASTOR ! PATS FOOT IS STAYING ON !!!
THERE IS NO BACTERIA AT ALL IN THE FOOT ! 😊
👍 ☝ 🙏 "

La obediencia a las instrucciones de Dios siempre traerá resultados positivos, sin importar cuán extravagantes éstas puedan parecer. Una palabra específica, para una persona específica, para una situación específica, es cómo Dios se mueve. Ahora, para aquellos de ustedes que piensan que he recibido una nueva revelación en orar por los enfermos, piénsenlo otra vez. Fui lo suficientemente tonto como para pensar eso, así que traté de aplicar este rhema a mi propia vida. Cuando gangrena se había agravado en un dedo de mi pie poco después de esa "experiencia de la enchilada", pensé que sería una buena idea ir al restaurante mexicano más cercano y pedir un plato de enchiladas para recibir la sanidad de mi pie. Bueno, es triste decirlo, no funcionó. Dios tiene diferentes formas en que puede suplir nuestras necesidades. No es necesario memorizar una manera en particular de cómo sucedió la última vez que recibimos un milagro, porque lo más probable es que si estamos en una situación similar, Dios elegirá otra vía para bendecirnos y mantenernos concentrados.

LA PRESUNCIÓN DEL REY SAÚL

El siguiente ejemplo de presunción muestra claramente cómo las buenas intenciones no son lo suficientemente buenas como para invalidar las leyes de Dios.

Y él (Rey Saúl) esperó siete días, conforme al plazo que Samuel había dicho; pero Samuel no venía a Gilgal, y el pueblo se le desertaba. Entonces dijo Saúl: Traedme holocausto y ofrendas de paz. Y ofreció el holocausto. Y cuando él acababa de ofrecer el holocausto, he aquí Samuel que venía; y Saúl salió a recibirle, para saludarle. Entonces Samuel dijo: ¿Qué has hecho? Y Saúl respondió: Porque vi que el pueblo se me desertaba, y que tú no venías dentro del plazo señalado, y que los filisteos estaban reunidos en Micmas, me dije: Ahora descenderán los filisteos contra mí a Gilgal, y yo no he implorado el favor de Jehová. Me esforcé, pues, y ofrecí holocausto. Entonces Samuel dijo a Saúl: Locamente has hecho; no guardaste el mandamiento de Jehová tu Dios que él te había ordenado; pues ahora Jehová hubiera confirmado tu reino sobre Israel para siempre. Mas ahora tu reino no será duradero. Jehová se ha buscado un varón conforme a su corazón, al cual Jehová ha designado para que sea príncipe sobre su pueblo, por cuanto tú no has guardado lo que Jehová te mandó.

(1 Samuel 13:8-14)

Encontramos al Rey Saúl entre la espada y la pared. Había preparado a su ejército para la batalla, y lo único que necesitaba para comenzar era hacer un sacrificio al Señor que aseguraría la victoria. Mientras esperaba, y esperaba, y esperaba, Samuel, el profeta que haría el sacrificio no se encontraba por ninguna parte. El rey presumió que, dado que no había nadie con autoridad para hacer ese sacrificio, él mismo asumiría la responsabilidad de sacrificar al Señor. Una buena idea quizás, pero, por otro lado, una acción prohibida. En aquellos días, solo los sacerdotes o profetas podían ofrecer sacrificios. Ese día, el rey descubrió tristemente que el fin no justifica los medios. Honestamente creía que sacrificar sin autoridad sería pasado por alto dado la apremiante necesidad. ¿Cómo podría Dios rechazar una obra espiritual que se necesitaba para ir a la batalla? Cuando el profeta reprendió a Saúl,

El rey estaba sorprendido por la reprensión. En sus ojos, había hecho algo bueno, más bien al contrario, debería haber sido elogiado por tomar las riendas de una mala situación y corregirla. Cuando una persona no está alineada con la Palabra de Dios y Sus mandamientos, el juicio sobre él siempre lo tomará por sorpresa. Nunca le paso por la mente pensar que sería juzgado por hacer una buena obra. Las personas presuntuosas nunca ven la imagen completa, solo ven lo que les conviene, y muchas veces no incluye la voluntad de Dios. Fue este acto de desobediencia lo que hizo que Saúl perdiera su reino y finalmente perdiera su vida. Las personas presuntuosas nunca tienen idea de por qué Dios rechaza sus buenas obras, porque viven de sus emociones y las emociones son engañosas.

Engañoso es el corazón más que todas las cosas, y perverso; ¿quién lo conocerá?

(Jeremías 17:9)

LA PRESUNCIÓN DE EVA

Satanás intentará disfrazar la presunción, y créeme, él es todo un experto en eso. Una de sus mejores armas es sacar la Palabra de Dios fuera de contexto y cambiar su significado para negar la promesa en la que estemos parados. Este fue el error de Eva en el jardín del Edén cuando la serpiente desafió la Palabra de Dios. La presunción de Eva invalido su obediencia al Señor, y abrió la puerta al pecado.

> *Entonces la serpiente dijo a la mujer: No moriréis; sino que sabe Dios que el día que comáis de él, serán abiertos vuestros ojos, y seréis como Dios, sabiendo el bien y el mal. Y vio la mujer que el árbol era bueno para comer, y que era agradable a los ojos, y árbol codiciable para alcanzar la sabiduría; y tomó de su fruto, y comió; y dio también a su marido, el cual comió así como ella.*
>
> *(Génesis 3:4-6)*

Nunca pudo Eva haber imaginado que las consecuencias de su pecado fueran tan duras. La maternidad no solo sería tan dolorosa a partir de ese día, sino que sería aún más devastador el hecho de que ya no tenía la misma autoridad que su esposo Adán. Su nombre cambió instantáneamente de Adán a Eva:

> *Varón y hembra los creó; y los bendijo, y llamó el nombre de ellos Adán, el día en que fueron creados.*
>
> *(Génesis 5:2)*

Fue entonces cuando se convirtió en una ciudadana de segunda clase, siendo puesta bajo el gobierno y autoridad del hombre. Ahora tiene mucho más sentido saber por qué las mujeres en general tienen un rechazo a ser gobernadas por un hombre. Fue parte del juicio de Eva en el jardín y continúa hasta hoy. Verdaderamente, esta Escritura a continuación toma más importancia cuando nos damos cuenta de su verdad.

> *... Ciertamente el obedecer es mejor que los sacrificios ...*
>
> *(1 Samuel 15:22)*

EL PRESUNTUOSO ERROR DE SATANÁS

Satanás contaba con que el Señor Jesús fuera presuntuoso cuando lo tentó tres veces en el desierto. Comenzó la tentación apelando a su hambre y su debilidad corporal.

Y vino a él el tentador, y le dijo: Si eres Hijo de Dios, di que estas piedras se conviertan en pan. El respondió y dijo: Escrito está: No sólo de pan vivirá el hombre, sino de toda palabra que sale de la boca de Dios.

(Mateo 4:3-4)

Cuando Jesús no mordió su anzuelo, lo atacó de otra manera, apelando a Su carne.

Y le dijo: Si eres Hijo de Dios, échate abajo; porque escrito está: A sus ángeles mandará acerca de ti, y, En sus manos te sostendrán, Para que no tropieces con tu pie en piedra.

(Mateo 4:6)

Finalmente, cuando esas dos tentaciones no tuvieron éxito, procedió a apelar al propósito de Cristo

> *Otra vez le llevó el diablo a un monte muy alto, y le mostró todos los reinos del mundo y la gloria de ellos, y le dijo: Todo esto te daré, si postrado me adorares. Entonces Jesús le dijo: Vete, Satanás, porque escrito está: Al Señor tu Dios adorarás, y a él sólo servirás.*
>
> *(Mateo 4:8-10)*

De nuevo, otro esfuerzo fracasado de parte del enemigo. La Palabra siempre tiene una respuesta para cualquier oposición que se nos presente.

HACIENDO UN CAMBIO PARADIGMA

Definición de un paradigma: Una teoría o un grupo de ideas sobre cómo se debe hacer, crear, o como pensar algo.[9]

Uno de los mayores desafíos en la iglesia hoy en día es hacer cambios de paradigma sin crear un desorden caótico. Digo eso porque incluso los cambios más pequeños (es decir, mover el piano en el templo de un lado de la plataforma al otro) pueden agitar mucho las aguas, causando reacciones negativas que no fácilmente se reparan. Una y otra vez, he escuchado historias de horror contadas por pastores nuevos que se hicieron cargo de una iglesia establecida por muchos años, con una congregación que creía que su forma de como correr una iglesia era la única forma en cómo se debería ser manejada, incluyendo la adoración a Dios. En la opinión de ellos, los padres fundadores fueron guiados por Dios para hacer las cosas de cierta manera, y cualquier cambio mínimo fue considerado una blasfemia. No hay espacio para el liderazgo visionario porque eso solo significaría que esta nueva generación estaría diluyendo el evangelio, y la verdad no puede ser cambiada. Es muy difícil para ellos distinguir las diferencias entre

---

[9] www.merriam-webster.com/dictionary/paradigm

la verdad y la tradición, así que, para no errarle, mejor todo permanece igual.

Este cambio de paradigma que me gustaría compartir es uno que casi provocó que nuestra iglesia local fuera expulsada de nuestra organización eclesiástica. ¿Cuál fue el cambio que causó tanto alboroto? Fuimos una de las primeras iglesias en nuestra organización de habla hispana en levantar una iglesia que condujera sus servicios completamente en inglés. La respuesta negativa fue tan abrumadora que hizo que incluso nuestro pastor dudara de sí mismo, hasta el punto en que pensó en dejar la organización e irse a otra que nos permitiera la libertad de adorar a Dios en el único idioma que hablamos, el inglés. Fue solo cuando un previo presidente de nuestra organización defendió a nuestro pastor que se nos permitió continuar haciendo lo que estábamos haciendo sin repercusiones. Él era un hombre que solo hablaba español, sin embargo, tenía la sabiduría suficiente para entender que una nueva generación hispana estaba creciendo en los Estados Unidos sin hablar una palabra de español. Desde ese día en adelante, cada vez que él estaba en el área, tenía carta abierta para venir a predicar en nuestra iglesia cada vez que lo deseara. Lo curioso era que, ya que solo nos predicaba en español y a pesar de que no entendíamos una palabra de lo que decía, respondíamos con la única palabra que sabíamos en español, que era "Amén".

¿Cuál fue el resultado de la audacia de nuestro pastor? Crecimos de una congregación inicial de doce personas a casi 600 miembros en sus mejores tiempos. Aunque las críticas de nuestro distrito continuaron, fue gracioso ver a tantos jóvenes de otras iglesias en nuestra área visitar nuestros servicios los viernes por la noche, enviados por sus pastores para recibir el Espíritu Santo. Fuimos en ese entonces una de las primeras iglesias en comenzar una escuela cristiana K-12, que finalmente se convirtió en una "Escuela Modelo" en el programa ACE, El equipo de baloncesto de los muchachos, si no me equivoco, ganó seis campeonatos estatales consecutivos. Nuestro departamento de educación se expandió para abrir una guardería para niños en edad preescolar. Nuestro coro de la iglesia se hizo famoso al ganar innumerables premios con sus múltiples grabaciones, pero lo que realmente resaltaba era el programa de rehabilitación para drogadictos (Lifeline Outreach) que se convirtió en el pilar de nuestro éxito. Solo un visionario como nuestro pastor, el Rev. David Hernández, logró ver eso y nunca permitió que oposición a estas visiones le impidiera hacer la voluntad de Dios.

Puedo imaginar las miradas en los rostros de los apóstoles cuando Jesús hizo un cambio de paradigma al celebrar la Pascua.

> *Y mientras comían, tomó Jesús el pan, y bendijo, y lo partió, y dio a sus discípulos, y dijo: Tomad, comed; esto es mi cuerpo. Y tomando la copa, y habiendo dado gracias, les dio, diciendo: Bebed de ella todos; porque esto es mi sangre del nuevo pacto, que por muchos es derramada para remisión de los pecados.*
>
> *(Mateo 26:26-28)*

Probablemente hasta ese momento, la mayoría de ellos ni siquiera prestaban atención porque habían memorizado esta ceremonia hasta el último detalle. Cuando Jesús tomó los rituales de la Pascua, usándolos para cambiar el nombre de este evento a Última Cena, estoy seguro de que levantó muchas cejas mientras Sus discípulos observaban. El ritual en sí no estaba siendo cambiado, solo su significado.

Creo un evento que estuvo cerca a este tipo de impacto fue cuando el Señor llamó a Pedro para llevar el evangelio a los gentiles por primera vez. ¡Que cambio de paradigma! El Espíritu de Dios realmente tuvo que intervenir fuertemente para ayudar a Pedro a comprender la enormidad y la importancia de su próxima tarea.

...Pedro subió a la azotea para orar, cerca de la hora sexta. Y tuvo gran hambre, y quiso comer; pero mientras le preparaban algo, le sobrevino un éxtasis; y vio el cielo abierto, y que descendía algo semejante a un gran lienzo, que atado de las cuatro puntas era bajado a la tierra; en el cual había de todos los cuadrúpedos terrestres y reptiles y aves del cielo. Y le vino una voz: Levántate, Pedro, mata y come. Entonces Pedro dijo: Señor, no; porque ninguna cosa común o inmunda he comido jamás. Volvió la voz a él la segunda vez: Lo que Dios limpió, no lo llames tú común. Esto se hizo tres veces; y aquel lienzo volvió a ser recogido en el cielo.

(Hechos 10:9-16)

Cuando los siervos de Cornelio, apenas después de esta experiencia, tocaron a su puerta para solicitar su presencia, Pedro finalmente comenzó a unir los cabos. Hizo un gran cambio de paradigma, descartando lo que le habían enseñado para recibir esta nueva revelación que Cristo estaba trayendo a su entendimiento. Luego aceptó la invitación de estos gentiles para predicarle a Cornelio por primera vez el mensaje de Hechos 2:38. Este hombre gentil y su familia no solo recibieron el mensaje de la unicidad, al ser bautizados en agua en el nombre de Jesucristo, sino que también recibieron el bautismo del Espíritu Santo, hablando en otras lenguas conforme el Espíritu de Dios les daba que hablasen.

Lo que Pedro nunca tuvo en cuenta, cuando trató de entender lo que significaba la visión, fue el hecho de que Jesús ya había cambiado la ley de los judíos cuando expreso esto en Marcos 7:18-19:

Él les dijo: ¿También vosotros estáis así sin entendimiento? ¿No entendéis que todo lo de fuera que entra en el hombre, no le puede contaminar, porque no entra en su corazón, sino en el vientre, y sale a la letrina? Esto decía, haciendo limpios todos los alimentos.

En esencia, lo que Jesús dijo en esta declaración fue que estaba haciendo y declarando todos los alimentos ceremonialmente limpios, es decir, aboliendo todas las distinciones ceremoniales de la ley levítica. ¡La muerte de Cristo en el Calvario selló el pacto!

PERTURBANDO NUESTARA VISIÓN

El principal objetivo de satanás es de desviarnos de rumbo al perturbar nuestra visión. La mejor definición de pecado que he podido aplicar a mi propia vida es esta:

PECADO = "FALLAR la META". satanás no necesariamente tiene que guiarte a un pecado grave, solo quiere desviarte lo suficiente como para evitar que llegues a tu destino. Cuando nuestra visión ha sido perturbada para fallar la meta, entonces nos habrá robado una comprensión total de lo que realmente es la FE. Déjame ponerlo de esta manera. Cuando sufrí mi derrame cerebral y ataque cardíaco en el 2013, uno de los muchos problemas con los que tuve que lidiar fue lo que los médicos llaman negligencia en mi vista. Básicamente, todo se reduce a esto: aunque puedo ver claramente con ambos ojos, no tengo visión periférica en el ojo derecho. Es lo suficientemente grave como para convencer a mi esposa de que ya no me permita conducir porque, aunque creo que tengo una visión completa en mi ojo derecho, en realidad no es cierto. Hay momentos en que mi falta de visión periférica no me permite ver personas que se acercan a mí de mi lado derecho. Me causa momentos de sobresaltos, porque de repente aparecen de la nada y me dan un buen susto.

Cuando estoy en un lugar donde hay una gran cantidad de personas, me resulta muy difícil no chocar con ellas porque no tengo la visión periférica que me ayude a protegerme. Dicho esto, este mismo concepto se aplica también a nuestra vida espiritual. Estoy seguro de que cualquier pastor con algún tipo de experiencia en consejería estaría de acuerdo con la próxima declaración que haré. ¿Cuántas veces has aconsejado a otros y terminan diciéndote esto? Simplemente no lo veo así, Pastor. No es una negligencia física de los ojos lo que les está causando problemas comprendiendo, es más bien una negligencia espiritual. Nuestros líderes pueden ver cosas en nuestras vidas más profundamente que nosotros, cuando en realidad nosotros no tenemos ni idea.

PERDER UN OJO O MORIR

Hay un excelente ejemplo de visión interrumpida en el Antiguo Testamento en 1 Samuel 11. Israel estaba siendo rodeado por los ejércitos de

Nahas, con la amenaza de destruirlos. Nahas prometió no destruirlos si aceptaran su única condición. Tenían que dejarse sacar el ojo derecho de cada soldado israelí.

Y Nahas amonita les respondió: Con esta condición haré alianza con vosotros, que a cada uno de todos vosotros saque el ojo derecho, y ponga esta afrenta sobre todo Israel.

(1 Samuel 11:2)

Perder el ojo derecho no era nada en comparación con perder la vida, por lo que en la superficie parecía ser una situación en la que todos salen ganando. Lo que el observador casual no entiende es que la pérdida del ojo derecho paralizaría por completo y permanentemente a cualquier soldado del ejército de Israel de luchar contra el enemigo por el resto de su vida. Debido a que sus escudos protegían todo su cuerpo menos el ojo derecho, era la única parte del cuerpo que no podían permitirse perder si querían tener éxito en la batalla. Sin el uso del ojo derecho, Israel estaba completamente indefenso.

El arma más efectiva que satanás tiene en su arsenal es el uso de verdades a medias. Como en el ejemplo anterior, satanás usó una verdad a medias para convencer a Eva de comer del fruto prohibido, esta arma es francamente engañosa. El mejor ejemplo de las Escrituras que puedo utilizar se encuentra en Romanos 10:17:

Así que la fe es por el oír, y el oír, por la palabra de Dios.

Durante generaciones hemos restringido la efectividad de esta escritura como se indicó anteriormente en el libro al limitar su definición de "palabra" a la palabra griega logos (la palabra escrita de Dios). El problema es que, en este caso, "palabra" se traduce rhema, que no solo incluye la palabra escrita sino también la palabra hablada. ¿Cómo afecta esto a nuestra toma de decisiones? Hay veces que la palabra escrita no tendrá una respuesta específica para la situación en la que nos encontramos. Es entonces y solo entonces que la palabra hablada nos traerá las respuestas que estamos buscando. La mejor definición de rhema que he encontrado es esta: **una palabra específica, para una persona específica, para una situación específica.** Esta definición no solo traerá claridad a las situaciones difíciles, sino que también ayudará a evitar decisiones presuntuosas antes de que vidas sean destruidas.

El siguiente testimonio es uno de mis ejemplos favoritos que uso para explicar qué es una palabra rhema:

Hace años, un joven fue enviado a pastorear una iglesia donde era un cementerio para pastores. No importa quién fuera enviado, o cuánto tiempo se quedaban, el resultado era siempre el mismo, un fracaso total. Cuando llegó este nuevo pastor, como los demás, lleno de energía y con mucho entusiasmo. Él iba decidido a hacer lo que nadie más podía hacer en el pasado. Es triste decirlo, después de un corto período de tiempo, no parecía que él tuviera éxito también. Un día en oración, el Señor le habló con estas instrucciones específicas: "Cambia los horarios de los servicios dominicales por la noche a la medianoche, y tendrás avivamiento". Cuando recibió este mensaje por primera vez, el pastor no pudo discernir si esto era de Dios o no. Si no fuera así, ¿qué tenía que perder? Porque nadie más había podido traer avivamiento a esta ciudad tampoco. Pero si fuera Dios, algo tan improbable sería parte de su éxito y, por supuesto, Dios obtendría todo el honor y la gloria. Poco después, hizo el cambio, y he aquí que estalló el mayor avivamiento que la congregación jamás había experimentado. Cientos de personas fueron salvadas, Dios confirmó este movimiento al llenarlas también con el Espíritu Santo. Al año siguiente, cuando llegó la Conferencia General, la noticia de este gran avivamiento se había expandido como fuego, y otros pastores jóvenes querían saber qué había hecho para tener tanto éxito en tan poco tiempo.

"No me creerían si se los dijera", él dijo.

"Vamos hombre. No lo retengas, realmente necesitamos saber ".

"Como les dije antes, incluso si estuviera dispuesto a decirles, es poco probable que me crean de todos modos".

"Déjanos a nosotros juzgar eso, nomás dinos".

"Solo recuerden, se los dije, no me van a creer. Cambié el horario del servicio los domingos por la noche a las doce de la medianoche, porque eso es lo que Dios me dijo que hiciera".

"¿Realmente esperas que te creamos ese cuento ridículo?"

Él respondía a su incredulidad: "Se los dije". Debido a que este joven pastor había recibido una palabra específica, para una persona específica, para su situación específica, fue lo suficiente para que el expandiera su fe y dejara que Dios se encargara del resto.

POR QUÉ DIOS NO SANA

Eso es algo que creo que a la mayoría de la gente le gustaría saber, y con mucha razón. La ausencia de señales y maravillas entre el pueblo de Dios generalmente significa que el juicio divino ha caído sobre ellos.

No vemos ya nuestras señales; No hay más profeta, Ni entre nosotros hay quien sepa hasta cuándo. ¿Hasta cuándo, oh Dios, nos afrentará el angustiador? ¿Ha de blasfemar el enemigo perpetuamente tu nombre? ¿Por qué retraes tu mano? ¿Por qué escondes tu diestra en tu seno?

(Salmos 74:9-11)

Mire cómo Israel reaccionó al castigo que Dios estaba permitiendo que experimentaran, básicamente para abrirles los ojos de su locura. Era necesario, porque en conjunto, eran personas de dura cerviz y necesitaban una disciplina severa para regresar a sus cabales. La presencia de Dios se había obstaculizada por su estilo de vida descarriado, por lo que la eliminó junto con Su protección.

Otra razón por la cual Dios no sana es debido a dos condiciones que se han infiltrado en nuestras vidas y han dominado nuestro caminar con Él. Cuando el legalismo levanta su horrible cabeza, conduce a una fe tibia. Esto a su vez provoca una desconexión con el cielo.

> *Porque Jehová derramó sobre vosotros espíritu de sueño, y cerró los ojos de vuestros profetas, y puso velo sobre las cabezas de vuestros videntes.*
>
> *(Isaías 29:10)*

Aquí hay un testimonio que he mencionado previamente, pero con más detalle, que me sucedió al inicio de mi experiencia con Dios que jamás olvidaré. Cuando mi tío, quien finalmente se convirtió en mi pastor, se graduó del Instituto Bíblico, regresó a nuestra área para abrir una nueva iglesia. Había un grupo de unos doce hermanos, y lenta pero segura la iglesia comenzó a crecer. Poco después descubrimos que los dirigentes del distrito estaban inquietos y no estaban de acuerdo con la forma en que el pastor dirigía la iglesia. ¿Estábamos predicando alguna falsa doctrina? ¿Habíamos bajado nuestros estándares de alguna manera? No, realmente no. Con lo que ellos no estaban de acuerdo era con el hecho de que todos nuestros servicios eran en inglés. En ese momento, nuestra organización era aproximadamente 95 por ciento de habla hispana, lo que significaba que todos los servicios se llevaban a cabo en español. La reunión se llevó a cabo para determinar si podríamos continuar ministrando en inglés o, de lo contrario, pedirnos que abandonáramos la organización. El día de esa reunión, inesperadamente, uno de los pioneros de la organización entró en la reunión sin previo aviso. Cuando los funcionarios comenzaron a explicar la situación y lo que, a sus ojos, había que hacer, este hombre de Dios pidió permiso para hablar.

Él dijo: "Todos ustedes saben que yo no hablo ni una palabra de inglés y realmente no entiendo por qué alguien cree que podría hacer crecer una iglesia usando un idioma diferente al que estamos acostumbrados. Pero, por otro lado, si Dios le ha dicho que haga esto y no le permitimos que lo haga, entonces estamos luchando contra Dios. Es mi sugerencia dejarlo en paz, porque si esto es de Dios, no podremos detenerlo. Por otro lado, si esto no es de Dios, ¿a qué le tienen miedo? Todo se vendrá abajo, y no tendrá que culparnos a nosotros por su falta de éxito."

Después de este sabio consejo, se hicieron las votaciones y se nos permitió quedarnos. Como consecuencia, la iglesia comenzó a crecer como un incendio forestal. Nuestros servicios de los viernes por la noche fueron tan impactantes que muchas de las otras iglesias en el distrito enviaban a sus jóvenes para que fueran tocados por el fuego de Dios. En su apogeo, esta iglesia creció a alrededor de 600 miembros, y lo que nuestro pastor estaba haciendo para traer avivamiento a nuestra iglesia fue después copiado por el resto de las iglesias en el distrito.

Un punto de vista legalista eludirá la voluntad perfecta de Dios en nuestras vidas hasta el punto de que siempre estaremos en un estado tibio, uno que Dios odia literalmente. El ministerio de señales y maravillas se cortará de raíz porque Dios no tolerará que uno de Sus hijos sea tibio.

Pero por cuanto eres tibio, y no frío ni caliente, te vomitaré de mi boca.

(Apocalipsis 3:16)

Si el legalismo y ser tibio encabezan la lista de razones por las que Dios no sanará, la incredulidad debe estar en un cercano segundo lugar.

> *Y no hizo allí muchos milagros, a causa de la incredulidad de ellos.*
>
> *(Mateo 13:58)*

Quizás el lugar más difícil para trabajar en lo milagroso es cuando estás entre amigos y familiares. Jesús verificó esto en Marcos 6:4 cuando Él dijo:

> *Mas Jesús les decía: No hay profeta sin honra sino en su propia tierra, y entre sus parientes, y en su casa.*

Me identifico con esta última declaración, porque cuando he regresado a la iglesia en la que fui salvo, aquellos que me conocían antes tienen dificultades para aceptar este nuevo cambio en el ministerio. ¿Por qué? Porque ha sido un cambio a lo opuesto. En Su misericordia, el Señor permite algunas sanidades y milagros, pero generalmente les suceden a aquellos que son nuevos en la iglesia y que no me conocían en ese entonces.

EL VALOR REDENTOR DEL SUFRIMIENTO

La última razón por la que Dios no sana es quizás la más importante y, sin embargo, la más rechazada debido al dolor envuelto. Hay un gran valor redentor en el sufrimiento, tanto es así, que su efectividad está muy por encima de cualquier de los otros métodos que Dios usa para acercarnos a Él.[10]

Y me ha dicho: Bástate mi gracia; porque mi poder se perfecciona en la debilidad. Por tanto, de buena gana me gloriaré más bien en mis debilidades, para que repose sobre mí el poder de Cristo

(2 Corintios 12:9)

Nadie sabe realmente cuál era el aguijón en la carne de Pablo. Pudo haber sido una enfermedad o quizás un tipo de persecución. Cualquiera que sea el caso, Dios eligió no removerlo. Innumerables veces en mi vida, los problemas físicos han afectado en el ministerio. Inicialmente, le pedía al Señor que me los quitara, porque en mi mente podría ser

---

[10] Jack Deere, Surprised by the Power of the Spirit (Michigan: Zondervan Publishing, 1993) P. 155

mucho más efectivo sin los diversos dolores y debilidades que atormentan mi cuerpo constantemente. De hecho, dejé de pedir cierta sanidad en particular de mi cuerpo cuando el Señor me reveló por qué consideraba que era mejor no hacerlo.

Después de haber sido milagrosamente sanado de polio a la edad de cinco años, algunos años después mi madre me contó el resto de la historia. Me estaba acercando a la muerte, como la mayoría de los niños en mi pabellón que finalmente murieron de esta temida enfermedad. Un día, mi abuelo vino a mi madre, animado por un sueño que había tenido. Él dijo: "Hija, el Señor me ha mostrado que Junior (yo) va a ser sanado". Ella era algo aprensiva, porque cada día que me visitaba después del trabajo, casi siempre tenía un nuevo compañero en mi habitación. Sin yo saberlo, mis compañeros de cuarto morían todos los días.

La idea de que pronto llegaría mi día la aterrorizaba, más aún porque en ese momento ella no estaba viviendo bien para Dios. Por mucho que quisiera creerle a su padre por una sanidad milagrosa, sintió que no era digna y que el no servirle bien a Dios le ocasionó esta situación. Luego mi abuelo le dijo esto: "Cuando Dios lo sane, la señal para ti será que todo será normal en su cuerpo, excepto que su brazo derecho quedará seca." Un poco después, recibió esa aterradora llamada de venir al hospital urgentemente porque era probable que yo no lograra pasar la noche. Con un poco de fe, llamó a nuestro pastor. Hizo una breve oración, y poco después fui dado de alta del hospital. Al salir, el médico que me atendió detuvo a mi madre en el pasillo y le dijo: "Sra. Pantages, no sabemos a qué Dios sirve, todo lo que sabemos es que la sanidad de su hijo no provino de la medicina moderna. Tu Dios ha respondido a tus oraciones, y este es un milagro verificado."

Todos los días, en mi lucha por hacer las cosas que otras personas hacen sin pensarlo dos veces, vuelvo a ese día y estoy eternamente agradecido por la misericordia que el Señor me mostró. Realmente hay un valor redentor en el sufrimiento, porque he podido usar esta experiencia en mi ministerio tratando con otras personas que están sufriendo tanto como yo sufrí, o tal vez peor. He visto a Dios sanar milagrosamente ojos ciegos, oídos sordos y sanar a las personas afectadas por el cáncer que no tenían esperanza según la medicina moderna. Salieron de la iglesia ese día sin cáncer después de una breve oración llena de fe. Los médicos han podido verificar estos milagros en los siguientes días. He mirado a mujeres estériles salir alentadas, sabiendo que el bebé que le habían estado pidiendo a Dios estaba en camino, y después nos dan la noticia que sucedió exactamente como Dios dijo que lo haría. ¿Esto hace que mis luchas físicas sean más llevaderas? No, no del todo, pero cada vez que tengo la oportunidad de mirar este brazo y esta mano, así como están, débiles, marchitos y sin vida, me da otra oportunidad de levantar mis manos y alzar mi voz al Dios que me ha mostrado Su misericordia y darle el honor y la gloria que Él legítimamente se merece.

DONES DEL ESPÍRITU SANTO: DEFINICIONES & APLICACIONES

Porque a éste es dada por el Espíritu palabra de sabiduría; a otro, palabra de ciencia según el mismo Espíritu; a otro, fe por el mismo Espíritu; y a otro, dones de sanidades por el mismo Espíritu. A otro, el hacer milagros; a otro, profecía; a otro, discernimiento de espíritus; a otro, diversos géneros de lenguas; y a otro, interpretación de lenguas

(1 Corintios 12:8-10)

Las definiciones que utilizaré están tomadas de mi mentor, el Evangelista Freddy Clark, con su permiso.

LOS 9 DONES DEL ESPÍRITU SANTO

SEIS SENTIDOS DEL ESPÍRITU SANTO

Para obtener una comprensión completa de cómo funcionan los dones del Espíritu, es imprescindible comprender cómo funcionan nuestros cinco sentidos en el ámbito espiritual. Los cinco sentidos (en el Espíritu hay seis) funcionan de manera muy similar a los que Dios nos dio físicamente. Revisemos cada uno:

- Vista
- Oído
- Tacto
- Gusto
- Olfato
- Saber

Ahora tomemos cada uno de los sentidos individualmente para explicar cómo funcionan en el Espíritu.

Cuando una persona es dotada para ver cosas en el Espíritu, es muy similar a una presentación en video. Puedes describir en detalle lo que está sucediendo en el ámbito espiritual. Las personas que trabajan en esta área me han dicho que en realidad se ve a todo color. Aquí hay un buen ejemplo: Un buen amigo mío que es muy dotado recibió una visión que, si se equivocaba, podría quitarle tanto su credencial ministerial como su pastorado. Mientras estaba en un servicio de distrito, el Señor le reveló una aventura adúltera que su superintendente de distrito estaba teniendo. Esa es una acusación bastante fuerte para acusar a un hombre de Dios que era muy respetado. Mi amigo intentó aparentar que era nomas su imaginación, pero el Señor no lo dejó ir. Luego le pidió al Señor que si lo que sentía era cierto, que le diera una señal que elevara su fe para sacarlo a la luz. Entonces el Señor le dio una visión ante sus ojos de una manera que no podía negar lo que había estado sintiendo en su espíritu. De repente, se le dijo que se concentrara en una mujer en particular en la congregación, y con eso comenzó a ver lo que parecía una serpiente que comenzaba a deslizarse hacia arriba y alrededor del cuerpo de esa mujer, cubriéndola de la cabeza a los pies. Confiado ahora que lo que estaba sintiendo era cierto, tuvo que ir al siguiente paso para revelar este pecado oculto a las autoridades superiores. Debido a que ese hombre tenía un testimonio tan impecable de fidelidad en todas las facetas de la vida, por supuesto, esta acusación no podía respaldarse con ningún tipo de evidencia. Se organizó una reunión para permitir que el acusado se defendiera y cortar con la acusación de raíz antes de que se extendiera fuera de control. Como era de esperar, negó toda la acusación como una farsa. La mujer acusada tuvo la oportunidad de confirmar lo que el superintendente había testificado o, por supuesto, confesar la supuesta aventura. Ella lo negó con vehemencia. Mi amigo no retrocedió porque las impresiones que había recibido comenzaron a ser más fuertes, pero parecía que sin ningún tipo de prueba iba a tener que aceptar la culpa por las supuestas falsas acusaciones. Totalmente humillado por esta experiencia y luego humillado por sus superiores, tan deprimido como se estaba sintiendo, el Señor lo alentó a continuar orando. De un día para otro, la convicción en la mujer acusada no la dejaba dormir y finalmente confesó que las acusaciones eran ciertas. Incluso entonces, el superintendente del distrito negó su confesión y la llamó una mentirosa descarada. Para hacer la historia corta, finalmente él se humilló, confesó su pecado y le quitaron de su cargo.

Hay otro testimonio que me gustaría compartir, pero este más en el lado suave. Cuando llegaba el momento de dar dinero a sus hijos, a mi papá le encantaba jugar. Hubo un tiempo particular cuando intenté cobrarle un dinero que me había prometido. Él revisó juguetonamente los bolsillos de sus pantalones, tanto los de adelante como los de detrás, y la billetera por ningún lado. Mi padre siempre estaba impecablemente vestido, lo que significa que donde sea que lo encontraras llevaría un traje echo a la medida. Fue entonces cuando el Señor me reveló que la billetera estaba en el bolsillo interior de su saco, el bolsillo izquierdo para ser exactos. Luego le dije: "Papá, revisa el bolsillo interior de tu saco en el lado izquierdo y encontrarás tu billetera". Con una mirada de incredulidad, comenzó a reír y la expresión juguetona en su rostro me dijo que acababa de ser descubierto. ¡Gracias a Dios por la revelación!

El siguiente sentido es el de oír en el Espíritu. Hasta este momento en mi experiencia personal con Dios, no he escuchado la voz audible del Señor, ni conozco a nadie que lo haya escuchado. Por supuesto, he leído y escuchado en varias ocasiones sobre personas que lo han hecho, por lo que creo que Dios usa nuestro oído para hablarnos audiblemente si surge la necesidad. El relato bíblico que me gustaría compartir es el de Samuel.

Encontramos en 1 Samuel 3:3-9 la historia cuando el Señor estaba comenzando a hablarle a Samuel personalmente, sin que él entendiera inicialmente lo que estaba sucediendo. Dos veces se levantó y fue ante Elí, y el hombre de Dios le mandó que se volviera a dormir, diciéndole que él no le había llamado. En la tercera ocasión, Elí lo envió de vuelta a dormir, pero ahora con instrucciones específicas:

> *Y dijo Elí a Samuel: Ve y acuéstate; y si te llamare, dirás: Habla, Jehová, porque tu siervo oye. Así se fue Samuel, y se acostó en su lugar. Y vino Jehová y se paró, y llamó como las otras veces: ¡!Samuel, Samuel!...*
> *(1 Samuel 3: 9-10)*

Es un gran ejemplo saber que el Señor llamará a cualquier persona que sea lo suficientemente sensible y obediente como para responder a su voz, independientemente de su edad, experiencia o género.

Poder sentir o tener sensación de las cosas en el Espíritu es una de las formas más comunes de cómo Dios nos habla. Sé de muchos evangelistas que, cuando oran por los enfermos, comienzan a sentir en su cuerpo el área de dolor que sufren las personas cuando se encuentran frente a ellos. Cuando inicialmente descubrí que Dios utilizaba este método para ayudar a sanar a los enfermos, le supliqué si hubiera otra forma de tener éxito en un ministerio de sanidad sin tener que sufrir más dolor, que me permitiera usar esa otra forma en su lugar. Si me conoces personalmente, sabrías que desde que tenía cinco años sufría de polio, mi vida siempre ha sido una completa debilidad física. Entonces, mi don está más en el nivel de saber, del cual hablaré un poco más adelante y con más detalle.

Aquí hay algunos ejemplos que he escuchado a lo largo de los años sobre cómo Dios usa el sentido del tacto. Hubo un hombre de Dios en particular cuyo mayor don de sanidad era ser usado en el área del cáncer. Lo que le daba una mayor confianza para llamar de la audiencia a personas que creía que padecían de cáncer, fue una señal particular que Dios usaba cuando Él quería sanar a una persona o a varias en alguna reunión en particular. Sin previo aviso, de la nada, las palmas de este hombre de Dios comenzaban a arder como si tuvieran fuego. Esta era la forma en que Dios le hacía saber lo que deseaba hacer en cada ocasión. Fue una señal única de su ministerio, una señal que trajo la sanidad milagrosa de una enfermedad que ha seguido matando a millones.

En cuanto al gusto o sabor en el Espíritu, solo puedo referirme a una experiencia común que le sucede a mi mentor, el evangelista Freddy Clark. De hecho, él comienza con un sabor de tabaco en su boca para confirmar que la persona a la que está ministrando tiene un problema de fumar. Tan pronto como esa persona confiesa ese problema, ora por ellos, y cuando el Señor los libera de ese hábito, el sabor en su boca desaparece.

El siguiente sentido es el del olfato. Muy similar al ejemplo anterior de probar el tabaco, cuando una persona tiene un problema de fumar, en mi caso puedo olerlo incluso si no han fumado en semanas. Nuevamente, después de la oración y que Dios los libera, el olor desaparece. Pero, el mejor ejemplo que puedo dar de oler en el Espíritu es algo que me sucedió hace algunos años y que tuvo un profundo efecto en mi ministerio.

UNA EXPERIENCIA QUE NUNCA OLVIDARÉ

Estaba orando por personas en el altar en cierto servicio en particular, yendo de un extremo del edificio al otro. Al acercarme al otro lado, cuanto más me acercaba a cierto hombre que oraba, una peste tan desagradable emanaba de él que casi me hizo vomitar. Estaba decidido a orar por él de todos modos, cuando el Señor me detuvo en seco. Lo que me pareció extraño fue que estaba rodeado de otros que también estaban orando y nadie más parecía molestarse por el olor. El Señor me ayudó a comprender que Su juicio había caído sobre este hombre y que no iba a sanarlo. Inmediatamente después del servicio, recibí una nota para conocer a ese mismo hombre en un lugar privado. Fuimos a una sala vacía de la escuela dominical y él comenzó a compartir una historia que necesitaba escuchar.

Él dijo: "Admiro tu celo por Dios y cómo el Señor te usa. Me identifico mucho, porque en un tiempo tuve un ministerio similar. A decir verdad, era mucho más avanzado que el tuyo." En mi mente empecé a preguntarme por qué me estaba contando todo esto. Entonces el Señor me susurró que escuchara lo que tenía que decir, así que lo dejé continuar. Continuó diciendo esto: "Mi ministerio comenzó a crecer a pasos agigantados, viajando por todo el país. Mi calendario siempre estaba lleno y no me faltaba nada económicamente. Llegó un momento en que tenía tanta demanda que me sobre agendaba por el orgullo que había crecido sin control. Descubrí algo acerca de ministrar en el Espíritu que eventualmente se convirtió en mi ruina. Había ocasiones en que apenas tenía el tiempo suficiente tiempo de bajar directo del avión a la iglesia, hubo momentos en que no oraba, y parecía que Dios me usaba con más fuerza que en los momentos en que me consagraba antes de ministrar. Comencé a razonar que mi vida de oración no era tan esencial para ser usado de la manera en que estaba acostumbrado, así que poco a poco dejé que se apagara mi vida de consagración. Fue entonces cuando espíritus seductores me abrumaron, y finalmente caí en pecado, cometiendo adulterio en una aventura de una noche. Es triste decirlo, sufro de SIDA y ahora me estoy muriendo. Sé que el juicio de Dios ha caído sobre mí, pero esperaba que esta noche quizás Dios cambiaría de opinión. No lo hizo y solo tengo una cosa más que decirte: Por favor, no cometas el mismo error que yo cometí". Salió rápidamente de la habitación y nunca más lo volví a ver, tiempo después supe que había muerto. Nunca he olido un hedor como ese desde entonces.

El último sentido en el Espíritu es saber. Este saber me es dado sin la ayuda de ninguno de los otros sentidos. Es el sentido más difícil de los seis en el cual moverse y ministrar, porque no tienes en que apoyarte para confirmar los diversos mensajes que llegan de repente. Este último sentido es el más refinado en mis dones, y compartiré un par de ejemplos para explicar mejor de qué estoy hablando y luego daré unos más cuando hable de la Palabra de Ciencia poco más adelante.

BABY I'M THE LUCKY ONE -
(CARIÑO YO SOY LA AFORTUNADA)

1. Recientemente me tocó tratar con una mujer que había conocido hace años cuando era adolescente. Ella había tomado un periodo sabático en lo que a Dios respecta, y tenía poco que estaba volviendo a buscar a Dios. Las malas decisiones en nuestras vidas siempre acarrean la condenación del enemigo, y escapar de él es más fácil decirlo que hacerlo. Ella estaba sintiendo esa misma condenación cuando le dije varias cosas a ella sobre lo que estaba sintiendo, pero esto en particular le trajo lagrimas a sus ojos. Su esposo estaba sentado a su lado cuando le dije esto: "Sientes que tu matrimonio y la relación con tu esposo es similar a la canción que Amy Grant canta, 'Cariño Yo Soy la Afortunada'". Fue entonces cuando rompió en llanto. Después de llorar un rato, ya que pudo hablar, dijo: "Acabo de decirle eso mismo a mi esposo antes de entrar a la iglesia hoy". Sin otra palabra, su expresión comenzó a decirme: ¿Cómo lo sabías? ¿Cómo podrías saberlo? Luego le expliqué, que eso es lo mucho que Dios realmente la amaba y también esto le confirmó que Él todavía estaba a su lado.

ALÉRGICA A LA PIMIENTA

2. Hace varios años, tratamos con una mujer con horribles alergias. Al tratar de discernir por parte del Señor qué hacer para que ella pudiera recibir su sanidad, continuó diciendo que comer pimienta era una sentencia de muerte para ella porque la reacción alérgica causaría tanta hinchazón en el área de su cuello que se ahogaría hasta morir. Le dije que la única forma en que podíamos averiguar si, de hecho, Dios la sanaría, después de la oración, necesitábamos confirmarlo haciendo que probara un poco de pimienta. Le pregunté si estaba dispuesta a hacer eso, y respondió con un rotundo sí. Le pregunté cuánto tiempo le tomaría reaccionar negativamente a la pimienta y ella dijo casi de inmediato. Entonces oramos en el nombre de Jesús, le dimos un poco de pimienta para comer, y esperamos, y esperamos, y esperamos. Aproximadamente cinco minutos más tarde, no hubo hinchazón, tampoco hubo reacción negativa a la pimienta. Estaba tan entusiasmada, entendiendo lo que Dios acababa de hacer, que invitó a todos después del servicio a ir a celebrar con ella en el restaurante de carnes a la 'barbacuá' conocido por su carne con mucha pimienta. Muchos años después de este milagro de sanidad, cuando regresamos a su iglesia, ella siempre se me acerca para saludarme y decirme lo mismo con una sonrisa: "Todavía estoy comiendo pimienta sin reacción, ¡GLORIA A DIOS!"

LA PALABRA DE CIENCIA

La palabra de ciencia es una revelación sobrenatural de cosas naturales del mundo físico, tanto del pasado como del presente. Usualmente, es algo general, pero a veces puede volverse muy, muy específico porque Dios quiere lidiar con problemas en la vida de una persona que han estado ocultos de todos los demás. Cuando la Palabra de Ciencia está en la etapa embrionaria, no te dejes intimidar por las personas que te mienten o que por vergüenza no quieren admitir lo que Dios te ha mostrado. Mantente firme, pero si es necesario, pídele a Dios que te ayude a salir del asunto con gracia. Nunca te defiendas, porque el Señor sabe cómo arreglar una situación que salió mal.

EL FALSO PROFETA ES EXONERADO

Aquí hay un ejemplo en el que no necesariamente tenía que admitir que estaba equivocado, pero debido a que era una profecía que estaba dentro de un periodo de tiempo en particular, tuve que esperar casi un año entero, y fui de alguna manera infamado hasta que Dios lo cumplió de una forma inesperada. Profeticé sobre una joven que al final del año el Señor le daría gemelas. Había varios problemas para aceptar esa profecía porque, en primer lugar, ella no estaba casada y no parecía que eso sucedería en algún momento pronto. La verdad del asunto era que ella tampoco tenía novio, entonces, ¿cómo iba a suceder todo esto? Por supuesto, hay momentos en que Dios no te permitirá saber cómo lo va a hacer, sin embargo, nuestro trabajo es decir lo que Dios nos ha dicho que digamos y dejar que Él resuelva los detalles. Durante los siguientes meses hasta el final del año, fui considerado como un falso profeta. Hubo bastantes personas y algunas iglesias por igual que vieron mi ministerio en una luz negativa. Al final del año, recibí una llamada telefónica de esa misma joven, diciendo: "Hermano, tu profecía se cumplió". Su declaración me dejó pasmado y le pedí que me explicara. Ella dijo: "Descubrimos que mi hermana que había sido llevada a prisión estaba embarazada en ese momento. Debido a que su sentencia fue por varios años, no podría quedarse con el niño y tendría que ser puesto en adopción. Luego me preguntó si estaría dispuesta a adoptar a su hijo. Le dije que por supuesto que sí. Pero la mayor sorpresa fue esta. Cuando finalmente dio a luz, no solo nació una niña, sino que, fue conforme a la profecía, eran gemelas". Cuando una Palabra de Ciencia parece estar incompleta, no completes los espacios en blanco para verte bien. Dios sabe lo que está haciendo y nuestro trabajo es decir lo que Él nos ha dicho.

Nada más y nada menos. O como dice mi esposa, ¡Que no le ponga tanta salsa a mis tacos!

DESCUBIERTA ANTES DE QUE FUERA DEMACIADO TARDE

Aquí hay otro ejemplo de una Palabra de Ciencia que realmente desarrolló mi fe cuando mis dones todavía estaban en la etapa de embrión. Estaba predicando en una iglesia que era muy demostrativa en su forma de adorar. Hubo mucha danza y saltos, correr y gritos de júbilo durante el inicio del servicio. Me di cuenta de un hombre en particular que sobresalía en su adoración a Dios. Por una esquina de mi ojo, el Señor me hizo enfocarme en su esposa que se había quedado sentada, mirándolo con desdén. Entonces el Señor me amonestó que fuera a ministrarle. Sin tener idea de lo que iba a decir, le dije esto al oído: "Sé que tu novio te está esperando después del servicio para llevarte y nunca regresar. Sería el error más grande de tu vida, porque no solo arruinaría tu matrimonio y tu familia, sino que incluso peor arruinaría tu relación con Dios". Inmediatamente se agachó y comenzó a llorar, arrepintiéndose de lo que había planeado hacer. Ella sabía que nadie podría haberme dicho porque nadie más sabía lo que estaba pasando. Para que alguien de otro estado le dijera lo que le dije, tenía que venir de Dios.

Hay una última cosa que me gustaría mencionar sobre la Palabra de Ciencia. Sé que la próxima Escritura a la que me referiré no fue escrita con la

Palabra de Ciencia en mente, sin embargo, creo que encaja en lo que estoy a punto de decir.

MENSAJES QUE NO QUERIA ENTREGAR

... quien añade ciencia, añade dolor

(Eclesiastés 1:18)

Muchas veces, las personas no entienden las situaciones desgarradoras en las que Dios nos pone para entregar un mensaje que la mayoría de las veces traerá una respuesta negativa por parte de los receptores. En ocasiones, en el Antiguo Testamento, los profetas fueron golpeados, encarcelados y, a veces, incluso asesinados por los mensajes que tenían que entregar a los que tenían autoridad, y, sin embargo, el Señor los envió de todos modos porque Su palabra tenía que ser entregada.

Aunque la mayoría de los mensajes que entrego son de naturaleza positiva, hay ocasiones que tengo que decir cosas que sé que cortarán profundamente en el corazón de quienes lo reciben. Recuerdo tener que decirle a un pastor que uno de sus jóvenes iba a morir, y por supuesto que era difícil de creer porque todos los demás hasta ese momento estaban creyendo por un milagro. El joven murió poco después de eso.

JUGANDO HANGMAN (AHORCADO)

Tan difícil como fue el mensaje anterior, ni siquiera se acercó al mensaje que Dios me pidió que le entregara a un amigo mío cercano. Durante años había admirado tanto la fe que tenía como de un niño. Le permitió ascender muy rápidamente en el reino de Dios. Parecía que las cosas le resultaban tan fáciles, y las bendiciones de Dios lo seguían a donde quiera que fuera. Después de un período de tiempo, las cosas comenzaron a irle mal en cada área de su vida. Mi admiración por él nunca me impidió interceder a Dios por él, hasta que un día lo que Dios me reveló fue completamente horrible. El Señor rara vez usa visiones para hablarme, pero en este caso quería jugar. En mi visión, vi el juego del ahorcado. Algo como el juego antiguo de la Rueda de la Fortuna.

Él organizó las cosas de esta manera:

__ __ __ __-__ __ __ __ __ __. Luego se me pidió que completara los espacios en blanco. Inmediatamente descifré la primera parte y rápidamente lo descarté, porque de seguro él no estaba entremetiéndose en la PORNOGRAFÍA. Entonces el Señor me dio instrucciones de tráelo a su atención para que él pudiera ser liberado. ¿Por qué fui puesto en tal situación de no ganar? Si estaba equivocado y acusaba injustamente a un hombre de Dios, ¿cuáles serían las repercusiones? Pero también, si tuviera correcto y no hiciera nada al respecto, ¿qué pasaría con su alma? Finalmente tuve el valor para llamarlo, titubeando en mis palabras hasta que le pregunté si quería jugar al ahorcado. Asombrado por mi petición, dijo que estaba bien. Cuando le dije que sacara un papel y dibujara las líneas en la forma en que las coloqué arriba, hubo silencio al otro lado de la línea. Inmediatamente descifró el juego y luego me sorprendió al admitir que era cierto. Le conseguimos ayuda para lidiar con esta adicción, y ahora es una persona completamente diferente.

Cuando Dios decide usarte para entregar un mensaje a alguien, muy parecido a un policía en guardia de veinticuatro horas, debemos dejar a un lado las consecuencias y hacer lo que es correcto. Si puedes acercarte a Dios con este tipo de actitud de actuar correctamente en todo momento, entonces Él te confiará los secretos que tendrás que sacar de la oscuridad hacia Su luz admirable, para que aquellos que están atrapados en su pecado pueden ser sacados a la luz, perdonados y recibir una nueva oportunidad de vida.

NO SIEMPRE PUEDES DECIR LO QUE SABES

Una última palabra de precaución con respecto al uso de la Palabra de Ciencia. Hace años, un hombre de Dios me dijo algo que va en contra de cómo usamos la Palabra de Ciencia hoy en día. Dijo que el 80 por ciento de la revelación nunca debe decirse en público. Volviendo a las Escrituras en Eclesiastés 1:18, uno debe preguntarse: ¿Por qué la mucha sabiduría podría causar tanta tristeza? La respuesta a esa pregunta es simple, el hecho de que algo le sea mostrado por medio de la palabra de ciencia no significa necesariamente que deba decirse en público. Cada vez que tienes que mantener en silencio revelación, siempre existe la tentación de decir lo que acabas de saber. Un cristiano maduro sabe cómo cerrar sus labios y, por lo tanto, tiene que soportar penas que son ajenas a los demás, porque Dios puede confiar en ti para guardar ese secreto. He tenido que hacer cambios significativos en mi pensamiento, reconociendo que la gente me miente todo el tiempo. Lo que es aún peor es cuando esas mentiras provienen de la boca de pastores. No responder a esas mentiras es una de las cosas más difíciles que he tenido que soportar, sin embargo, es parte del trabajo y hay que soportarlo.

Finalmente, considera un momento el desafío que Jesús enfrentó cuando de niño sabía que había nacido para convertirse en el tan esperado Mesías que quitaría los pecados del mundo. Parecía que casi lo echó todo a perder cuando tenía doce años y se quedó en Jerusalén durante la Pascua para "ocuparse en los negocios de su padre". ¿Puedes imaginarte la presión que debió sentir cuando un amigo de la infancia murió repentinamente, y aunque tenía el poder de resucitarlo de la muerte, porque aún no era tiempo, ¿tenía que retroceder? Ese período de espera se prolongó durante treinta largos años.

EL DISCERNIMIENTO DE ESPÍRITUS

El discernimiento de espíritus por definición es: una revelación sobrenatural del mundo espiritual. Al tratar con el mundo espiritual, uno debe saber con qué está tratando, ya sea el Espíritu de Dios, el espíritu del hombre o satanás. Muchas personas erróneamente dan por hecho que satanás inicia cualquier tipo de conmoción negativa en nuestras vidas. Es triste decirlo, muchas de las cosas negativas surgen de nuestra propia carne y no de satanás. Hace años escuché este testimonio del Pastor Billy Cole que me gustaría compartir. Mientras estaba en el campo misionero, creo que fue en Tailandia, una mujer en particular estaba interrumpiendo el servicio al mostrar señales de estar poseída por demonios. Pudo deslizarse por el suelo como una serpiente y tenía una fuerte fuerza antinatural. Sin embargo, cuando el hermano Cole pudo discernir la situación, se le trajo a su atención que toda la conmoción no era inducida por un espíritu. Más bien, ella era una mujer que necesitaba mucha atención, así que ella reaccionaba en formas que pudiera ser percibida. Tan pronto como el hermano Cole instruyó a los ujieres que la llevaran afuera, ella cesó de inmediato sus excentricidades y fue lidiada de acuerdo a la necesidad.

Por otro lado, tengo dos amigos que son muy sensibles al mundo espiritual, sin embargo, son polos opuestos, porque las experiencias de Martin con lo espiritual provienen del lado diabólico y las experiencias de Missti tiene que ver con los ángeles. Cuando Martin se convirtió y experimentó el Pentecostés por primera vez después de recibir el Espíritu Santo, comenzó a asustarse por todo lo que miraba, porque era muy parecido a lo que experimentaba antes de venir al Señor. Después de uno de estos episodios, le habló al pastor completamente confundido. Quería saber por qué después de ser salvo y lleno del Espíritu Santo, todavía podía ver demonios que causaban estragos entre varios miembros de la iglesia. Algo desconcertado por esto, porque nunca había escuchado algo así, su pastor le indicó que, en el próximo servicio, si volvía a ver a esos demonios, lo llamara para poder orar por aquellos que estaban siendo molestados por espíritus malos. Missti, por otro lado, ha tenido ángeles siguiéndola desde el momento que ella tenía entre cinco y siete años, si no me equivoco. Debido a que fue prostituida cuando era niña (lo cual no fue su elección) y luego fue expulsada de la iglesia, Dios le envió ángeles para enseñarle la palabra de Dios. Ella ve ángeles todo el tiempo y posteriormente los dirige a ciertas personas que están en problemas, para permitirles ministrar a través del Espíritu de Dios y puedan ser bendecidas.

LA JOVENCITA CON MAQUILLAJE LILA

Finalmente, me gustaría compartir una de las experiencias que he tenido al tratar con el mundo espiritual. Hace años, me invitaron a una iglesia en particular que en el pasado había disfrutado mucho ministrar ahí. El pastor y su familia fueron muy amables conmigo, y sus hijas tenían casi la misma edad que mi hijo mayor, Timothy. Al conocer mejor a las jóvenes, me gustó lo que vi porque estaban dedicadas sin reservas a las cosas de Dios. Dicho esto, me quedé completamente asombrado cuando vi a la hija mayor llegar muy tarde al servicio y su apariencia externa no se parecía en nada a la joven que había conocido en el pasado. Su ropa estaba más ajustada de lo habitual, y para mi sorpresa, estaba maquillada (nuestras creencias de modestia desaniman el uso de maquillaje). Cuando hice el llamado al altar, ella pasó, pero al imponer manos sobre ella, noté el esmalte de sus uñas que combinaba con su maquillaje y lápiz labial tambien. Cuando terminó el servicio, decidí saludarla, pero para mi sorpresa, no tenía maquillaje, no había lápiz labial y no había ningún esmalte en sus uñas. El Señor entonces me habló y me dijo: "Ella está viviendo una doble vida, a escondidas de sus padres." Me entristeció el hecho de que se había alejado de nuestros caminos pentecostales, pero lo que fue aún más triste es que nunca la volví a ver.

Los espíritus demoníacos tienen la capacidad de atacar de varias maneras y en diferentes niveles. satanás está altamente organizado y usará cualquier método a su alcance para mantener a los hijos de Dios alejados de su destino. Debido a que mi experiencia en esta área es muy limitada, decidí reclutar a un par de personas cuya experiencia explicará mejor el "Discernimiento de espíritus".

DEMONOLOGÍA APOSTÓLICA

(DAVID & MISSTI JONES)

Porque no tenemos lucha contra sangre y carne, sino contra principados, contra potestades, contra los gobernadores de las tinieblas de este siglo, contra huestes espirituales de maldad en las regiones celestes.

Efesios 6:12

Para que Satanás no gane ventaja alguna sobre nosotros; pues no ignoramos sus maquinaciones.

2 Corintios 2:11

Porque las armas de nuestra milicia no son carnales, sino poderosas en Dios para la destrucción de fortalezas.

2 Corintios 10:4

> *Someteos, pues, a Dios; resistid al diablo, y huirá de vosotros*
>
> *Santiago 4:7*

Me llamo Hna. Missti L. Jones. Soy la esposa del Demonólogo Apostólico, Rev. David G. Jones, y yo soy lo que 1 Corintios 12:10 llama una "Discernidora de espíritus". Dios eligió darme este don del Espíritu cuando apenas tenía cinco años, unos meses después fui llena del Espíritu Santo. Comencé a "ver" tanto a los demonios como a los ángeles cuando tenía siete años, y mi pastor usaba mi don para ayudarlo a ministrar a las personas poseídas por demonios que venían a nuestra iglesia en busca de ayuda.

Tanto mi esposo como yo somos veteranos de las Fuerzas Armadas de los EE. UU. (Mi esposo estaba en la Fuerza Aérea y yo en el Ejército). Nuestra amplia experiencia militar y entrenamiento de combate van de la mano con el ministerio de mi esposo. Es un evangelista apostólico cuya especialidad es la guerra espiritual y la demonología. También tiene un conocimiento vital de los aliados que Dios nos ha dado en el campo de batalla espiritual: los ángeles (hay muchas diferentes clases de ángeles, y cada clase tiene su propio conjunto de habilidades específicas de "combate" para que usen los hijos de Dios. Esto reduce nuestro tiempo de duración en adversidad o batallas espirituales a la mitad). Solo voy a hablar sobre demonios, las diferentes etapas de un ataque demoníaco contra una persona, lugar o cosa, cómo identificar en qué etapa del ataque demoníaco podría estar usted o su iglesia, y cómo vencer en cada etapa. También compartiré algunos de los casos demoníacos en los que mi esposo y yo hemos ayudado. Piense en mi esposo como el Rey David, y yo como su "vidente" Gad, que puede ver de manera natural el mundo espiritual en tiempo real, y ser los "ojos" no solo para mi esposo y su ministerio, sino también para otros ministros que me han contactado y me han pedido ayuda cuando atraviesan batallas espirituales, y cuando satanás y sus diablillos han bloqueado su visión espiritual y han necesitado un "Gad" para ayudar a ver a través de las granadas de humo detonadas por nuestro enemigo el diablo.

Primero lo primero: ¿qué significa "Demonología"?

La demonología es el estudio sobre los demonios. Podrías pensar que habría algo más espeluznante o glorioso al respecto, pero estaríamos equivocados. Es muy sencillo. Un demonólogo apostólico, como mi esposo, es un predicador de la doctrina Hechos 2:38: que cree en *"seáis investidos de poder desde lo alto"*; de esos que satanás conoce su nombre como el de Jesús y Pablo; corredor de pasillos de la iglesia, lleno del Espíritu Santo, bautizado en el nombre de Jesucristo, ungido hijo de Dios que se ha familiarizado tanto con sus armas de guerra espiritual que se han quedado "pegadas" en sus manos, como los poderosos hombres valientes que lucharon junto al Rey David, y pueden usar las armas como Hebreos 4:12 para "penetrar hasta partir" a cualquier entidad demoníaca que pueda venir. Me dan ganas de correr por los pasillos de solo pensarlo, ¡SABER que ESA pequeña criatura de los oscuros pozos del infierno DEBE ARRODILLARSE ante el Nombre que es sobre todo nombre: Jesucristo, y él y sus legiones de demonios DEBERÁN HUIR de nosotros sí solo RESISTIMOS! ¡GLORIA a DIOS!

Como veterana del Ejército de EE. UU., uno de los mejores consejos que puedo dar a cualquiera de ustedes que está leyendo este libro es este: ¡CONOZCA A SU ENEMIGO!

¡No puedes derrotar a un enemigo que ignoras o desconoces! Simplemente irás a la batalla subestimando al enemigo, y al igual que los Siete

Hijos de Esceva (Hechos 19:14-17), saldrás del campo de batalla espiritual corriendo en derrota en el mejor de los casos, o física, mental, emocional, o Dios no lo permita, herido espiritualmente, y hacer que las cosas queden peor que cuando empezaste. Recuerda: satanás y su equipo de alimañas han estado haciendo este tipo de cosas desde antes de Adán y Eva. ¡NO LO SUBESTIMES! ¡NO ERES TU quien puede derrotarlo a él y a sus pillines! ¡Es SOLO a través de la autoridad en el Nombre de Jesucristo que lo derrotarás! ¡Nunca olvides eso! Cuando nos sentimos demasiado grandes y nos envanecemos, y comenzamos a sentirnos como un "dios" como lo hizo el Rey Saúl, cosas malas nos pueden suceder y nos van a suceder. ¡Al igual que un verdadero soldado, marino, navegante o piloto aviador, DEBES mantener la cabeza despejada y concentrarte en la tarea que tienes de frente! ¿Por qué? Porque satanás y sus tropas harán uso de la magia, de trucos bien elaborados, miedo, duda, chantaje, vergüenza, culpa, enfermedad; literalmente todo lo que usó contra Job... ¡ANTICIPALO! ¡Aprende a "ver" las cosas tal y como son! ¡Adáptate! Nunca lo dejes que controle tu mente, emociones o disminuya tu fe en la Palabra de Dios: ¡tu espada!

Porque no nos ha dado Dios espíritu de cobardía, sino de poder, de amor y de dominio propio.

(2 Timoteo 1:7).

Entonces, conozcamos los conceptos básicos de nuestro enemigo: el diablo.

Los ataques demoníacos, sin importar el tipo, generalmente ocurren durante lo que se conoce como la "Hora de las Brujas", esto es entre las 9 p.m. y las 3 a.m. Pastores, no se sorprendan si sus teléfonos suenan por problemas espirituales durante estas horas. ¡No se trata de SI sucederá, se trata de CUÁNDO sucederá! Espéralo y planea al respecto. Durante estas horas es cuando la mayoría de las personas se sentirán atacadas en sus hogares, automóviles, barcos, aviones o en el trabajo, y las familias a menudo pueden encontrarse discutiendo sin motivo durante estas horas.

Satanás puede poseer tres cosas terrenales conocidas:

1. Cosas (1 Samuel 5:1-5)
2. Lugares (Génesis 18 and 19)
3. Personas/Animales (Marcos 5:1-15)

Hay etapas de posesión. Es vital que sepas la etapa en la que estás luchando, porque eso determinará cómo debes lidiar con ese enemigo específico en ese campo de batalla espiritual específico (Mateo 17:14-21). Si puedes atrapar a satanás y a sus pequeños bichos demoníacos, cuando apenas se están trepando hacia una persona, lugar o cosa desde el principio, puedes sacudirlos espiritualmente como a un insecto y acabar con ellos fácilmente. Sin embargo, si una persona viene a ti o a la iglesia, y ya se le ha permitido a satanás mudarse con todos sus tiliches, amigos y establecer su taller, ahora las cosas se volverán espiritualmente más tensas, y vas a ¡tener que conducirte como las "Fuerzas Especiales de Élite" de la iglesia apostólica! Tendrás que confiar en tu "entrenamiento". Tendrás que confiar en la Palabra de Dios. Y vas a tener que sacrificar tu carne ayunando y orando durante al menos tres días, si es que no más (mi esposo y yo hemos tenido que orar y ayunar durante siete días antes de enfrentar ciertos casos) para deshacernos de estos piojos espirituales, porque no vas a tratar con demonios regulares de tipo caza fantasmas que se doblegan fácilmente. Te enfrentarás a algo mucho más fuerte. ¡Algo así como una Legión, o incluso satanás mismo! ¡NO ESTES DESPREVENIDO! La vida de una persona(s) puede depender de cuán "espiritualmente fuerte" te hayas mantenido como "para esta hora". Sin mencionar que podrías ponerte en riesgo a ti mismo y a tus hermanos y hermanas en Cristo que te estén ayudando a ministrar y pueden salir lastimados física y/o espiritualmente si no estás bien con Dios, o en el nivel que se ocupa estar espiritualmente para este tipo de guerra espiritual. satanás juega para ganar. ¡Nunca olvides eso! Él es una pequeña criatura maliciosa, solo está esperando que cometas un error... así que trata de no cometer ninguno. Debes mantenerte "espiritualmente en forma", al igual que los soldados se mantienen "físicamente en forma", para tener éxito en el campo de la batalla espiritual. ¿Cómo haces eso? Al "ejercitarte" espiritualmente: orar, ayunar, leer la Palabra de Dios (flexiones, sentadillas, correr dos millas diarias, metafóricamente hablando).

LAS CINCO ETAPAS DE POSESIÓN DEMONICA

Hay cinco etapas básicas de posesión demoníaca:

Depresión / Añadidura

Infestación

Opresión

Posesión

Posesión Perfecta

Depresión/Añadidura:

Si puedes flanquear a satanás y sus demonios en la primera etapa, Depresión / Añadidura, e identificar esa maniobra de batalla, entonces una simple imposición de manos en el altar, literalmente por cualquier persona con la fe de una semilla de mostaza, puede ayudar a la persona atacada reprendiendo ese ataque demoníaco, y echándolo de vuelta a los pozos del infierno donde pertenece. ¡Demasiado fácil! Uno de los casos de depresión demoníaca por los que nos pidieron orar a mi esposo y a mí fue por una adolescente que fue atacada con depresión. No podía explicar el por qué o cómo estaba deprimida, solo que se sentía deprimida. Tenga en cuenta que los adolescentes y los ancianos (especialmente si están entrando en la pubertad, la menopausia, o simplemente sufrieron la pérdida de un cónyuge o tienen que ser admitidos en un hogar de ancianos) son los que más sufren con este tipo específico de ataque demoníaco. Mujeres que acaban de dar a luz, con sus hormonas y todo fuera de control, también tienden a ser blancos fáciles debido a la falta de sueño y la pérdida de fuerza física y espiritual por causa del proceso de parto (o malogro). Vigile de cerca a estas personas en la iglesia. ¡A satanás le encanta atacar a los vulnerables porque es un gran cobarde! No le gusta pelear contra alguien que sabe que es espiritualmente fuerte, aunque no te equivoques, si puede derrotar a un "hombre / mujer valiente" ¡lo hará! Nunca vayas a la batalla con los ojos cerrados.

Todos han experimentado una añadidura demoníaca en un momento u otro. Puede tener un apego demoníaco simplemente yendo a una tienda de antigüedades o de segunda mano al tocar artículos en la tienda. No tienes idea de quién era el dueño de esos artículos o para qué se usaban. Podrían haber sido utilizados para todo tipo de adoración demoníaca. Nunca es una mala idea orar por ti mismo o por los artículos que compras antes de llevar estas cosas a tu hogar. ¡La oración NUNCA hace daño!

Infestación:

Esta es la segunda etapa. Es un poco más aterrador si nunca lo has visto o experimentado. Esto generalmente afecta lugares más que cualquier otra cosa. Tales como: casas, automóviles, barcos, aviones, negocios, bosques, parques y otros edificios. Dependiendo de cuánto tiempo satanás y su espeluznante banda de compinches hayan decidido tomarse unas vacaciones en ese lugar en particular por esa temporada, deshacerse de estos roedores espirituales no debería ser demasiado difícil para ti. Incluso los niños pueden ayudar a expulsar a estos bichos, con la capacitación adecuada sobre cómo hacerlo, y yo creo firmemente en "instruir al niño en los caminos del Señor". ¿Qué pasa si su hijo está solo y ocurre esta infestación? ¿Los entrenas para defenderse espiritualmente como Daniel, Mesac, Sadrac y Abednego habían sido claramente entrenados para hacerlo? ¡O, los dejas para que el enemigo los explote, y ahora tienes problemas más grandes, porque satanás acaba de acampar alrededor de tus hijos, la depresión se instala y BUM! ¡Tienes una posesión muy avanzada en tus manos! ¡No! Prefiero seguir entrenando a los niños para luchar contra satanás, ¡Muchas gracias! ¡SIEMPRE puedo usar un buen "Daniel" en mi equipo! ¡Alabado sea el Señor!

No todos son Discernidores de Espíritus o tiene uno disponible para "ver" qué tipo de demonios están atacando o dónde se esconden. Tenga en mente, TODOS LOS DEMONIOS VIAJAN EN GRUPOS DE TRES: Demonio de Mentiras, Demonio de Miedo, y luego el tercer demonio será el demonio principal controlando a los otros dos, como "Líder del equipo" militar, y dictando cómo el enemigo está luchando en el campo de batalla espiritual. Podría haber más, pero sabes desde el primer momento que estarás lidiando con AL MENOS tres.

El Demonio del Miedo siempre causara cosas como sensaciones de estar siendo observado, pero estás completamente solo o sola en tu automóvil, habitación o edificio. Comenzará a lanzar dardos a tu mente diciéndote que eres débil o que satanás te matará a ti o a tu familia. Hará que pienses que las personas que amas te odian, que tu iglesia se avergüenza de ti por tu pasado o que se cuentan chismes de ti, y no eres lo suficientemente bueno para que Dios te ame o te use. Puede causar que llueva en una habitación, que haya cambios repentinos de temperatura, que los animales en tu casa comiencen a actuar de manera extraña, que las cosas comiencen a volar en la habitación, pero no puedes "ver" a nadie que las arroja, que te araña, te abofetea, te empuja, o haga levitar y hacerte sentir mal del estómago, especialmente si estás lleno del

Espíritu Santo y eres bautizado en el Nombre de Jesucristo. No te sorprendas si tú, o las personas en el cuarto / edificio, vomitan una sustancia verde o roja (bilis). Y el vómito no será "natural." Saldrá disparado a unos tres pies o más, o como lo que le sucedió a nuestro hijo, un vómito que sube al techo, en lugar de caer al suelo.

¡El Demonio de Mentiras bloqueará tu visión espiritual en esta etapa y te hará PENSAR que todo está bien, pero el Espíritu Santo (instinto) insistirá en que ese pequeño fantasma aún se está escondiendo! ¡Este demonio es un EXPERTO jugando a las escondidas! ¡No te dejes engañar! Con los otros demonios, tendrás que esperar hasta llegar a la infestación para determinar qué es.

Lo que debes hacer en esta etapa es seguir el ejemplo perfecto que Dios le dio a Moisés para ungir hogares. La misma técnica se utiliza para automóviles, barcos, aviones y otros edificios. Los parques o bosques son un poco diferentes, y lo explicaré al final de esta sección. Mi esposo y yo usamos aceite en lugar de la sangre del cordero, porque Jesús fue el Cordero perfecto que derramó Su sangre para sanar todas las cosas. Hemos usado agua y sal anteriormente, y funcionan, pero nuestra preferencia personal es el aceite de oliva. Oramos por el aceite, y le pedimos a Dios que lo bendiga, y deje que represente Su sangre derramada en la cruz y recordarle de Sus promesas hacia nosotros: Por Sus llagas, somos sanados. Antes de comenzar a echar fuera demonios, ungimos a TODAS las personas en el hogar que no tienen el Espíritu Santo, todos los niños, también todos los animales. Recuerde: la Legión saltó a los cerdos, luego causó que ellos saltaran de un barranco y se suicidaran. Hemos sido testigos de esto antes.

Una pareja de la iglesia que son amigos nuestros olvidó orar por su perro antes de comenzar a orar por su casa y dejaron a su pequeño Beagle atado con una correa en el porche delantero. Mientras oraban dentro de la casa, un demonio saltó al perro, el perro saltó del porche y se ahorcó. ¡ORA POR TUS ANIMALES! Lo último que necesitas es abrir una puerta demoníaca de depresión, especialmente si tiene hijos, y les duela la perdida de una mascota porque olvidaste tomar unos segundos para orar por tus mascotas. Luego ungimos TODOS los marcos de las puertas (arriba y ambos lados), incluyendo armarios y gabinetes, espejos (que son utilizados como un portal para que viajen los demonios, eso es lo que usan las brujas hoy en día para adivinar), y sobre todas las camas ya que satanás puede intervenir en sus sueños y causar pesadillas y otro tipo de ataques a las personas mientras duermen. Si se trata de automóviles, barcas o aviones, también ungimos los motores para que satanás no pueda manipular los sistemas eléctricos que cause un choque o una tontería demoníaca. En el caso de parques y bosques, ore por un paño después de ungirlo con aceite y entiérrelo en la propiedad. Esto sanará la tierra y le dará a satanás el aviso de desalojo.

También habrá señales de que estás lidiando con una infestación. Un hogar puede estar en desorden, porque satanás ama el caos. O podría tener un hogar ordenado, pero con un olor desagradable a carne podrida o a algo muerto. Es posible que escuche algo que aruña las paredes, similar a las ratas o los mapaches que rascan o golpean. Los golpes vendrán en tres: ¡Bum! ¡Bum! ¡Bum! Poltergeist (nombre en alemán: Fantasma Enojón) es un fenómeno espiritual científicamente comprobado que también ocurre en esta etapa. Puedes haber dejado una habitación perfectamente ordenada y normal por unos momentos, y volver a entrar, y los muebles estén apilados negando la gravedad, todas las puertas/cajones de las cómodas o de los gabinetes abiertas, y todo desparramado por todas partes, pero nadie "lo hizo". Esto es todo lo que el demonio del miedo intenta hacerte, abrir una puerta para la siguiente etapa...

Opresión:

Durante esta tercera etapa, al menos una persona en el hogar, generalmente la más vulnerable o a veces la más fuerte (porque, ¡oye, si satanás puede eliminar al "general", los soldados serán un blanco fácil!) estará bajo un directo ataque espiritual. Si se trata de adolescentes: BUSCA SEÑALES DE CORTADURAS o AUTOMUTILACIÓN (1 Reyes 18:28). Si se está cortando, entonces sabes que estás tratando con un "Principado" llamado Baal, ¡y puedes comenzar tu ataque de "reprensión" del Espíritu Santo contra él! El objetivo de satanás / ataque demoníaco te dirá que están escuchando voces que les dicen que se lastimen, o a compañeros de trabajo, compañeros de escuela, amigos de la iglesia, extraños, animales, y si no cumplen, las voces afirman que matará a alguien a quien aman en represalia por no hacer lo que se les ordena. En este punto, DEBES determinar si la víctima de este ataque de opresión demoníaca padece de alguna enfermedad médica o mental. No quieras ser el héroe apostólico con capa y todo, y descubras que la persona está tomando algún tipo de medicamento que altera su mente, o que está usando drogas ilegales, alcohol, o que acaba de salir de una operación médica recientemente, o que está siendo tratado por algún tipo de problema de salud mental. Una vez que todo eso se ha sido descartado, entonces se trata de algo espiritual y no físico. He perdido la cuenta con cuántos adolescentes hemos tratado mi esposo y yo en esta etapa de opresión en la iglesia que comenzaron a cortarse. ¡Esto es una plaga en nuestras iglesias, amigos! ¡No seas engañado! Todo lo que se debe hacer en esta etapa es ungir a la víctima y orar por ella exactamente de la misma manera que lo haría con cualquiera que llame a los ancianos de la iglesia para que por medio de la oración sea sanado. Puede que tengas que orar varias veces, porque satanás intentará regresar y tentar a la víctima para que se siga cortando, se automutilé o se oprima nuevamente. No hay por qué avergonzarse. La mayoría de las veces no es culpa de la víctima (no están jugando con tablas de la ouija o haciendo sesiones espiritistas). Nomás ora de nuevo hasta que estén espiritualmente libres del ataque. Siempre es mejor orar por estas víctimas en tierra santa (en la iglesia). Pero es posible que a veces no tenga esa oportunidad o el tiempo, dependiendo de la situación. No siempre podemos elegir dónde satanás elige luchar contra nosotros.

La cuarta etapa, y la más peligrosa para la víctima (ahora el "anfitrión"), e igual de peligrosa para usted, su familia y toda la iglesia, será:

Posesión:

Satanás y los demonios pueden poseer personas, animales y objetos (muñecas, cuadros, espejos, etc.). Cuando se trata de un objeto poseído, debes ungirlo, orar una oración "de atar" sobre él (lo ato en el Nombre y por la Sangre de Jesucristo), y luego deshacerse de ese objeto. Mi esposo y yo los sacamos de la casa de la víctima y lo mantenemos encerrado. De esa manera, nadie más lo agarrará ni lo "soltará" de nuevo hacia alguien o ellos mismos. Lo mejor que puedes hacer es enterrarlo con un paño de oración. No recomiendo quemarlos. Algunos de estos elementos están infestados con tanta maldad que no se quemarán, o podría sentir que te estás quemando al momento que el elemento se está quemando, especialmente si no estás lo suficientemente espiritual como para lidiar con lo que se esté enfrentando. No significa que no puedas. Pero si estás tratando con algo como una tabla de la Ouija, te aconsejaría que no la quemaras. Átala y entiérrala en un lugar donde nadie más pueda encontrarla, incluyendo animales. Además, si llegaste a esta etapa y eliges ayudar al anfitrión porque te ha pedido ayuda (que es VITAL, debido al libre albedrío que Dios nos dio a todos), NUNCA DEJES DE SACAR DEMONIOS HASTA QUE LA PERSONA SEA TOTALMENTE LIBRE ¡Y ORAR PARA QUE SEAN LLENOS DEL ESPIRITU SANTO! ¡NUNCA debes dejar al anfitrión que estaba poseído vacío después de pasar todo ese tiempo expulsando demonios fuera de ellos! Esos demonios solo irán a traer a siete más... CADA UNO de ellos... y los traerán de vuelta para volver a poseer a esa persona, ¡y ahora has hecho más daño que bien! ¡No empieces algo si no lo vas a terminar! (Mateo 12:45, Lucas 11:26)

Si estas tratando con un animal poseído, úngelo con aceite, reprende a los demonios fuera de él, y pide a Dios que de paz y tranquilidad al animal para mantenerlo a salvo, así como se preocupa por las aves del cielo. Incluso un cerco de protección fue puesto sobre los animales de Job. No fue hasta que Dios lo quitó debido a que satanás se quejó sobre no poder atacar a Job, y los animales fueron matados. ¡ORACIÓN NUNCA DAÑA!

Si se trata de posesión humana, ¡agárrese de su asiento porque esto se volverá agresivo y deportivo! Deberá tener un "botiquín de posesión" a la mano que contenga bolsas de basura, toallas de papel, guantes, aceite y su Biblia. Cuando los demonios salen de un huésped humano, el anfitrión tiende a vomitar, y las toallas de papel ayudarán a limpiar eso, y puedes tirarlas a las bolsas de basura, mientras sigues reprendiendo a los demonios. Jesús nunca puso sus manos sobre alguien que estaba poseído, pero en Hechos vemos que los discípulos "les impusieron las manos" y los echaron fuera. Sin embargo, la mayoría de las veces, simplemente reprendieron a los demonios sin tocar al anfitrión, y los demonios salieron huyendo.

¿Por qué es esto importante? Porque sabemos que los demonios pueden saltar de un anfitrión a otro. Es mejor no permitir que salten sobre ti. ¿Alguna vez has tratado de pelear con alguien colgando de ti? Sí. ¡No es una buena idea! Aquí también es donde entra en juego el demonio de mentiras. Te dirá cosas como: "Gracias pastor! ¡Todo se ha ido! ¡No hay más! ¡Puedes parar ahora!" Sin embargo, aún puedes sentir un espesor en el aire, o la cara y/o el cuerpo del anfitrión todavía está contorsionado, y parece que el anfitrión no puede decir el nombre de Jesús para nada. Todavía tendrán un sonido de "siseo" cuando hablen e incluso pueden seguir deslizándose. ¡No le creas a ese pequeño mentiroso! ¡Repréndelo en el nombre de Jesucristo y sigue luchando! ¡Prueba los espíritus! Si la persona finalmente comienza a orar y puede decir: "¡Te amo, Jesús!" ¡FELICITACIONES! ¡Has abandonado la etapa de posesión y estás entrado en la etapa de la llenura del Espíritu Santo! ¡Continúe hasta que la víctima sea ahora llena del Espíritu Santo y se convierta en un sobreviviente!

El primer caso de posesión demoníaca en el que estuve, mi pastor, el presbítero del distrito y un puñado de otros hermanos mayores en la iglesia (incluyendo la esposa de mi pastor) tenían a un joven sentado en el altar. Yo tenía siete años y podía ver horribles criaturas hablando al oído del hombre, mientras volaban dentro y fuera de su cuerpo. Fue la primera vez que vi un demonio. Cerré los ojos con fuerza, ya que la esposa de mi pastor me hizo sentar varios bancos detrás de los hombres. Ella me abrazó con fuerza, y el Presbítero, que sabía acerca de mi don, dijo: "Hermanita, dime lo que ves".

Sacudí mi cabeza "no" y comencé a llorar porque estaba muy asustada. Los demonios maldecían y decían todo tipo de cosas sucias sobre los hombres de la iglesia que intentaban expulsarlos, ¡y yo todo lo que quería hacer era irme a casa! ¡No quería ver ni oír nada de lo que estaba sucediendo!

Mi presbítero dijo: "Hermanita, esto será mucho más rápido si puedes decirme lo que dicen los demonios. ¿Puedes decirme sus nombres?"

Le dije: "¡Pastor, están maldiciendo y diciendo cosas malas! Pecaré si te digo lo que están diciendo", y comencé a llorar. Los demonios manipularon mis emociones para hacerme sentir que sería una sucia pecadora si ayudara a los ancianos de la iglesia a expulsar a estos demonios de este huésped.

La esposa de mi pastor me abrazó con fuerza y me susurró suavemente al oído: "Si quieres, puedes arrepentirte después. Pero ¿puedes decirle al pastor los nombres al menos? Hará que este joven se sienta mucho mejor ".

Entonces comencé a nombrar los nombres de los demonios en el joven. Al final, había catorce demonios que poseían a ese hombre. Durante la liberación, me hicieron levitar de la banca, lo que realmente me asustó. Empecé a llorar más fuerte. Mi pastor me dijo que me "concentrara" diciéndome, "Dios no te ha dado un espíritu de cobardía, sino de poder, de amor y de dominio propio". Porque confiaba mucho en mi pastor (era como un abuelo para mí), abrí los ojos, y fue cuando vi a mi primer ángel: mi ángel guardián que está conmigo todo el día, y ahora lo veo todo el tiempo. Estaba volando a mi lado. Una vez que me concentré en algo celestial, comencé a reír, porque a los siete años, pensé que estaba volando con los ángeles. Fue entonces cuando los demonios dejaron de levitarme y me dejaron caer. Mi ángel me atrapó y me recostó suavemente en la banca, luego se paró frente a mí con su espada desenvainada. El Espíritu Santo era tan poderoso en ese punto que yo ya no tenía miedo. No dejaron de pelear, hasta que el joven comenzó a hablar en lenguas cuando Dios lo llenó del Espíritu Santo. Miraba como los arcángeles sacaban a los demonios del huésped por el cabello de sus cabezas, y los lanzaban a través de la pared hacia afuera cada vez que los hermanos echaban a uno fuera. ¡Fue increíble ser testigo de eso! Ese joven es ahora un anciano, casado, con varios hijos y vive para Dios aún hasta hoy. ¡NUNCA TE RINDAS! Este es también el estado en el que talvez tendrás que aceptar con brazos abiertos el "sacrificio" de orar y ayunar, por unos días antes de comenzar a luchar contra satanás por el alma de alguna persona. Depende de cuál sea el demonio principal, cuánto tiempo se le haya permitido infectarse en el anfitrión y cuántos más podrían estar con él.

Posesión Perfecta:

La etapa final, y una que está literalmente fuera de tu control, es la posesión perfecta. Mi esposo y yo hemos lidiado con este tipo de posesión una sola vez en nuestras vidas. Aquí es donde el huésped humano QUIERE ser poseído. Disfrutan de la falsa sensación de poder y control que satanás les hace sentir. Esto lo vemos con Jezabel en la Biblia. Ella era una adoradora de Baal y amaba ser una sirvienta de su demonio. Debido al libre albedrío que se nos da a todos los humanos, no hay nada que se pueda hacer en esta etapa.

Hace unos años, nuestro pastor nos pidió que fuéramos a investigar la posible posesión en un hogar. Una anciana había llamado a la iglesia para pedir ayuda, porque sentía que su casa estaba embrujada y afirmó que quería ayuda. Tan pronto como llegamos a la propiedad, vi a un demonio sentado en su porche, sonriéndonos. Toqué a mi esposo, que había reunido su "botiquín de posesión" y se estaba preparando para entrar a la propiedad. También vi a nuestros dos ángeles guardianes sacar sus espadas, que es muy raro que lo hagan. Por lo general, solo veo arcángeles, o al ángel Destructor hacer eso. Entonces mi ángel me dijo: "¡Esto es una trampa!" Y le transmití el mensaje a mi esposo. Aconsejé que oráramos una oración de protección sobre nosotros afuera en vez de dentro de la casa, y pedimos que los ángeles oraran también con nosotros, como lo hicieron los ángeles con los padres de Sansón y con Gedeón. Una vez que sentimos que el Espíritu Santo nos envolvía, entramos en la casa.

El rostro de la mujer tenía una sonrisa malvada, mientras nos recibía en su casa. Inmediatamente nos golpeó un mal olor a carne podrida. Moscas y gusanos habían infestado la casa a pesar de que estaba ordenada, y vi un espejo con velas usadas de diferentes colores sobre una mesita. Podía oler el azufre, y las mechas todavía ardían, como si ella apenas las hubiera apagado. ¡Ella había estado haciendo adivinación mientras nos deteníamos en nuestro auto!

Mi esposo no puede ver demonios o ángeles como yo, pero puede sentir espiritualmente cuando las cosas están "mal". Fuimos de habitación a habitación, mientras el olor a muerte nos seguía. Ella seguía tratando de alcanzar y tocar la espalda de mi esposo cuando él no estaba mirándola, pero parecía que no podía hacerlo. Era como si un escudo invisible lo hubiera envuelto, y cada vez que lo intentaba, ella retiraba su mano hacia atrás como si la estuvieran quemando. Luego se escapó a un sofá en su sala donde estaban el espejo y las velas, y cuando mi esposo entró en una de las habitaciones para investigar, mantuve mis ojos en la anciana. Ella comenzó a balancearse de un lado a otro, agarrando sus manos juntas. Entonces vi una gran masa de sombra negra que se filtraba de ella, y luego la absorbía. Entré con cautela en la sala, a una buena distancia de ella, y le pregunté si estaba bien, ya sabiendo la respuesta que no lo estaba.

Ella dijo: "Hay veces que me desmayo, y cuando me despierto, no sé dónde estoy ni cómo llegué allí. En el pasado he despertado en el parque, desnuda. ¡Pero me siento tan fuerte! ¡Soy más poderosa que tú y tu Dios!"

Luego comenzó a hablar alemán (lo sé porque estuve estacionada en Hanau, Alemania, cuando estaba en el ejército de los EE. UU.), Y su rostro se contorsionó. Ella saltó hacia mí y estiró los brazos para tocarme, pero fue como si sus brazos se volvieran demasiado cortos para alcanzar de repente.

Como todo lo que vi fue una gran masa negra, no pude identificar al demonio. "Por la autoridad y el poder del Nombre de Jesucristo, ¡cuál es tu nombre demonio!" Le ordené.

Para entonces, mi esposo entró corriendo a la sala y la mujer comenzó a reírse. Mi esposo sacó su aceite, y tan pronto como le puso un poco en la frente, todo su cuerpo se contorsionó en una forma horrible, sus manos se convirtieron en uñas de animal, y sus pies tomaron la forma de pezuñas, aunque todavía parecían pies humanos.

"¡No hagas esto! ¡No quiero que se vayan! ¡Son mis amigos!" Gritó ella.

Mi esposo luego ordenó al demonio que permitiera a la anciana hablar en el nombre de Jesucristo. El cuerpo de la anciana quedó lacio en el sofá, su rostro ya no sonreía raro o retorcido, y resollaba con fuerza mientras el sudor le corría por la cara. Mi esposo comenzó a hablarle al alma humana de esta anciana. ¿Quieres que se vayan los demonios? ¿Quieres ser libre de esto?

"No", respondió ella. "Me tomó tanto tiempo hacer que vinieran a mí. Sin ellos soy débil. Ellos son mis amigos. Me dan fuerza y poder. Si me los quitas, estaré perdida y vacía. Si hubiera sabido que ustedes podían quitarme a mis amigos, no los hubiera llamado".

"Querías obtener un trofeo espiritual para tu demonio, ¿verdad?", Le pregunté. "¡Pensaste que podrías engañar a los hijos del Dios Altísimo para que vinieran a tu casa, y atraparlos en una trampa, y sacrificarlos a tu demonio! Bueno, ¡elegiste a las personas equivocadas para hacer eso! ¡Ahora voy a pedirle a Dios que trate contigo de la misma manera que trató con Nabucodonosor! ¡Tendrás el mismo destino que él por tratar de lastimar a los hijos del Gran Yo Soy!

En ese momento sabíamos que ella había elegido esa vida, así la quería y pensaba que nosotros éramos presa fácil del cual ella podía aprovecharse. ¡Ese fue su error! Mi esposo y yo nos fuimos, y antes de que terminara la semana, fue ingresada en un hospital psiquiátrico, donde incluso el sacerdote católico no iría a su habitación para tratar de ayudarla. Ella perdió su mente exacto como le dije que sucedería.

Conoce al enemigo y familiarízate con las armas que Dios te dio. Deben ser una extensión de tu cuerpo, como un arma es para un soldado. Confía en Dios. No tengas miedo de pedirle a Dios que envíe ángeles para ayudarte. Nunca dejes que el miedo controle tus emociones o cosas que sabes que son verdaderas en la Palabra de Dios. Ten fe en Dios. Ninguna arma forjada contra ti prosperará. Amén.

LA PALABRA DE SABIDURÍA

Este es probablemente uno de los dones del Espíritu Santo más fácil de definir porque no es más que saber cómo aplicar o qué hacer en una situación dada cuando se da una Palabra de Ciencia. Este don en particular pasa por encima de la tradición y es muy criticado por la mayoría de las personas que no entienden cómo Dios nos habla. Muchas veces irá en contra del estatus quo, y aún más confuso es cuando no hay ejemplos bíblicos para confirmar las instrucciones que estamos recibiendo por parte de Dios. La Palabra de Sabiduría es el mejor ejemplo de una revelación rhema y, por lo general, sorprenderá, si es que no desconcertara, a aquellos que nunca han escuchado algo así. Muchos llegan a la conclusión de que lo que oyeron no es más que una tontería o un tipo de acto para hacer que la persona que entrega el mensaje más grande de lo que es.

Sino que lo necio del mundo escogió Dios, para avergonzar a los sabios; y lo débil del mundo escogió Dios, para avergonzar a lo fuerte

(1 Corintios 1:27)

Aquí tenemos algunos ejemplos bíblicos que explican cómo se aplicó una Palabra de Sabiduría. Tenga en cuenta que para cada circunstancia se tomó una acción diferente para recibir una respuesta. En cada acción, tan diferente como fuera, todos tenían una cosa en común. Para que la persona que necesita recibir su petición tenía que incluir un paso de fe.

EJEMPLOS DE UNA PLABRA DE SABIDURÍA

A Naamán, un hombre de autoridad enfermo de lepra, se le pidió que se bañara en el río Jordán, sumergiéndose siete veces para recibir su sanidad. Cuando finalmente se convenció de hacerlo, no quedo rastro de lepra en absoluto. (2 Reyes 5:1-14)

Jesús envió a un ciego con lodo untado en sus ojos al estanque de Siloé, el cual no era el estanque para sanidad. Sin instrucciones de cómo llegar allí, sin ninguna ayuda, este ciego tuvo que dirigirse solo hasta el estanque al que Jesús lo estaba enviando. Una vez allí, se lavó y fue sanado. (Juan 9:1-7)

Un día de reposo, Jesús se encontró con un hombre con una mano marchita. Él simplemente dijo: "Extiende tu mano". Y fue inmediatamente sanado. (Mateo 12:13)

Pedro se encontró con un hombre cojo de nacimiento en la puerta del templo y simplemente le indicó "levántate y anda". Luego lo tomó de la mano, y por fe no solo se levantó, sino que caminó por primera vez en toda su vida (Hechos 3:1-8)

Para pagar los impuestos, el Señor envió a Pedro a pescar en el momento equivocado del día, con estas instrucciones: Cuando atrapes el primer pez, ábrele la boca y encontrarás el dinero que necesitas para pagar los impuestos. (Mateo 17:27)

Cuando unos leprosos clamaron por sanidad, Jesús les mandó que se presentaran a los sacerdotes, y mientras iban fueron sanados. Jesús ni siquiera oró por ellos, su obediencia les trajo su sanidad. (Lucas 17:12-14)

Cuando los amigos de un hombre paralítico abrieron el techo de la casa donde Jesús estaba predicando, eso fue suficiente para que el Señor sanara a su amigo. (Marcos 2:1-12)

EL DON DE FE

El don de fe no es la medida de fe que usted y yo recibimos cuando somos salvos. El don de fe es en realidad la fe de Dios. Es suelta cuando el Señor quiere realizar un milagro extraordinario a través del hombre que normalmente no es posible.

Cuando comencé a trabajar en los dones del Espíritu Santo, me sentí tan inadecuado porque estaba convencido de que mi capacidad para tener éxito en este ministerio sería muy insuficiente. No me ayudo ser puesto en una situación donde sentí que la situación estaba muy por encima de mi capacidad. Sin embargo, fue parte de mi entrenamiento para llegar a donde estoy hoy.

UNA GRAN LECCIÓN APRENDIDA EN MEXICO

Una de esas lecciones que tuvo un efecto tan profundo en mí fue la que aprendí en uno de mis primeros viajes a México. Era suficiente incomodo que no hablaba el idioma con fluidez, pero aun así recibí una invitación de un hombre de Dios que realmente no conocía muy bien. En una de las noches, me sentí tan intimidado que eché para atrás de la tarea que se me había asignado ese día. Había una joven discapacitada desde su nacimiento que quería ser sanada. Ella y su mamá estaban visitando la iglesia y escuchó que el Dios de sus miembros podía hacer milagros. Es triste decirlo, la ignoré, con la esperanza que no volviera la noche siguiente. Completamente lleno de convicción por mi falta de fe, simplemente no creía que tuviera la fe suficiente para ayudarla a que recibiera su sanidad. Cuando el Señor me dio otra oportunidad al día siguiente, casi arruino esa tarea también. El Señor me dijo salte del momento para poder hablar. Entonces le confesé que me había intimidado la tarea y me dio miedo no tener éxito. Él me recordó que eso era el caso en cada nueva tarea que Él me había dado en el pasado. El éxito vendría cuando estuviera dispuesto a dar un paso de fe. En Su suprema sabiduría, entendió que mi fe no era suficiente, por lo que misericordiosamente me llenó con un don de fe. Con la fe de Dios en mi ser, di un paso adelante y una unción cayó sobre mí como nunca había experimentado. Había una nueva energía y confianza desconocida para mí en el pasado, y fue esa fuerza que me permitió estar en la perfecta voluntad de Dios. Cuando oré por ella la primera vez, ella dio algunos pasos sin la ayuda del aparato que había usado casi toda su vida, pero se cansó rápidamente y le permití que se sentara. Cuando llegó el momento de recoger la ofrenda final antes de despedirnos, sucedió algo increíble. Después de esa oración, su fe inicial creció hasta el punto de que cuando se dirigió al altar para depositar el poco dinero que tenía su madre, su fe se convirtió en la fe de Dios. Como si le dispararan con un cañón, comenzó a correr por la iglesia, regocijándose por la sanidad que había recibido.

Habrá momentos en nuestras vidas en que situaciones extraordinarias exigirán una fe extraordinaria. Será en estos momentos que el don de fe se hará cargo, llevándonos a un lugar de victoria que no podría haber sucedido sin la fe de Dios.

LOS DONES DE SANIDAD

Los Dones de Sanidad no son aceptados tan fácilmente como El Hacer Milagros porque no son instantáneos. Creo que, si se nos diera a escoger, siempre escogeríamos los milagros sobre las sanidades. Sin embargo, Dios ha elegido este vehículo para que también se use para traer alivio a nuestros cuerpos enfermos. Dicho esto, por definición, los dones de sanidad son una restauración gradual y progresiva del cuerpo humano. Siempre debemos recordar que la sanidad es gradual y que el hacer milagros es instantáneo.

MAS DE UN DON

Una de las lecciones más importantes que tuve que aprender sobre los Dones de Sanidad fue el hecho de que había más de un don. Todas y cada una de las enfermedades tienen un don de sanidad pegado y debe tener la oportunidad de crecer a la perfección. Inicialmente, trabajas a través de un período de prueba y error hasta que tienes dominio sobre esa enfermedad. El proceso se repite constantemente, siempre estirando tu fe para continuar creciendo en tu servicio a Él. En este momento de mi ministerio, cada vez que tengo que tratar con alguien que padece la enfermedad de fibromialgia, las personas sanan aproximadamente un 99 por ciento de las veces. Siempre y cuando tengo que lidiar con esta enfermedad en particular, el pensamiento ni siquiera me pasa por la cabeza de que no se irán sin su sanidad.

UNA PALABRA IMPORTANTE DE CONSEJO

El mejor consejo que puedo dar a cualquiera que esté interesado en comenzar un ministerio de sanidad es que nunca comience ese ministerio en un servicio regular de la iglesia. Digo eso porque entre la incredulidad y los celos desenfrenados en muchas de nuestras congregaciones, el novato que intente perfeccionar su oficio en un ministerio de sanidad será puesto bajo el microscopio y no se le permitirá cometer errores como todos nosotros cuando hacemos algo nuevo. Mi mejor consejo sería el mismo que recibí cuando comencé. El hombre de Dios dijo que fuera al Walmart más cercano y comenzara a pedirle a Dios que te muestre quién necesitaba oración. No se necesita preocupar por lo que le dirán los trabajadores allí porque siempre se están escondiendo cuando alguien ocupa de su ayuda, entonces, ¿por qué evitarían que usted haga la voluntad de Dios?

UNA EXPERIENCIA EN WALMART

Recuerdo que surgió una situación en el Walmart de nuestra ciudad que me gustaría compartir. Me acababan de adaptar un nuevo aparato ortopédico para ayudar a mi pie que batallo para levantarlo al dar pasos. Debido a que el aparato ortopédico era algo vultuoso e incómodo, necesitaba ajustes constantemente. Cuando llegué allí, encontré un banco y me senté para hacerle un ajuste, y un hombre al otro lado del lugar notó mi aparato. Él también estaba discapacitado por un derrame cerebral que había sufrido, dejándolo con horribles dolores de espalda y caminaba cojeando. Se dio cuenta de mí antes de que yo me diera cuenta de él y vino y entabló una conversación conmigo. Inmediatamente, la Palabra de Ciencia entró en acción después de haber mencionado que Dios me usa en un ministerio de sanidad. Luego le confirmé específicamente en qué parte de su cuerpo el dolor le estaba causando la mayor incomodidad. Con absoluto asombro, admitió que era verdad y me permitió que orara por él. El Señor instantáneamente le quitó el dolor y quedó asombrado porque nunca antes había visto a Dios hacer un milagro en su vida, o en la vida de ninguna otra persona.

EL HACER MILAGROS

El Hacer Milagros es la obra instantánea e inmediata de Dios que se aplica a todas las cosas. Esto también puede incluir los elementos y/o las fuerzas de la naturaleza.

ORANDO POR LLUVIA

En los años 80's, cuando supervisaba una escuela cristiana, intentaba inculcar a nuestros alumnos la importancia de la oración y la fe. Sé que es fácil para nosotros admitir que sí oramos, y cuando es necesario, podemos extender nuestra fe un poco, pero nuevamente, cuando surgen situaciones más complicadas, no tenemos ni idea de cómo vamos a salir de esa situación en la que nos encontramos.

Un día nublado los niños se vieron obligados a quedarse adentro de sus aulas debido a la lluvia, uno de los niños me retó a orar y hacer que la lluvia se detuviera. Por supuesto, nadie en el aula creía que eso sería posible, y para decirte la verdad, yo tampoco estaba muy seguro. Pero di un paso de fe, y con las manos en alto ordené a la lluvia que se detuviera. Realmente no esperaba que sucediera nada, pero no iba a decirles eso. En ese momento estalló una gran conmoción, porque inmediatamente cesó la lluvia. Los ¡ho! y los ¡ha! no se comparaban con las miradas de asombro que tenían, como si estuvieran diciendo: "¿Realmente hizo lo que creo que hizo, detener la lluvia?" Fue una gran lección para ellos y también un gran propulsor de fe para mí.

REDUCIR LOS TUMORES

El siguiente testimonio que me gustaría compartir sobre El Hacer Milagros tuvo lugar cuando recién iniciaba a ministrar en lo milagroso, en los años 90's. Recibí una llamada telefónica de un buen amigo mío cuya esposa había tenido un derrame cerebral. Los médicos le habían explicado que los tumores que habían encontrado en su cabeza estaban creciendo muy agresivamente. Si los tumores continuaban creciendo a ese ritmo, no estaban seguros si pudieran ayudarla. Después de colgar el teléfono, inmediatamente recibí instrucciones específicas del Señor. Me estaba pidiendo que entrara a un extendido tiempo de oración y ayuno (veintiún días, solo con agua). Recuerdo haber tratado de hacerlo tres veces, y las dos primeras había terminado en un rotundo fracaso. Por alguna razón, simplemente no podía entrar en el ritmo de este período de sacrificio y realmente esto me estaba carcomiendo por dentro. Pero la tercera vez fue diferente. Tanto fue así que Dios me hizo una extraña petición. Él dijo que mientras estuviera en oración en este tiempo, por treinta minutos tenía que extender ambos brazos frente a mí, abriendo y cerrando las manos repitiendo: "Reduce los tumores en el nombre de Jesús". En aquellos días, las puertas de nuestra iglesia solían abrirse a las 4 AM para la oración de madrugada, y me aseguraba de estar allí a las 4 AM porque no quería que mucha gente me viera hacerlo, porque era algo con lo que realmente me sentía incómodo. Pasaron días e incluso un par de semanas, y no sentía nada de parte de Dios en absoluto, y mucho menos me sentía confiado de que lo que estaba haciendo en la oración realmente estaba haciendo alguna diferencia. El final de esos veintiún días de ayuno no pudo llegar lo suficientemente pronto, pero un par de días después, recibí una llamada telefónica de mi amigo sobre los últimos resultados de los exámenes. Dijo que las radiografías mostraban que los tumores se estaban reduciendo y casi habían desaparecido. Cuando lo escuché decir la palabra "reduciéndose", casi estallé en mi baile feliz. Aquellos de ustedes que me conocen saben que no tengo un baile feliz, pero me puse extremadamente feliz. ¿Por qué todo este melodrama? ¿No podría Dios haberse hecho cargo de la situación y haber reducido los tumores sin mi ayuda? Indudablemente, pero no podemos evitar la declaración que Dios nos ha dado a través de Su Palabra que dice:

Porque nosotros somos colaboradores de Dios...

(1 Corintios 3:9)

Tiene que haber una conexión entre el cielo y la tierra para que aquellos que no lo conocen puedan ver cuán grande y poderoso es el Dios al que servimos.

El último ejemplo que me gustaría dejar sobre El Hacer Milagros es uno que está muy cerca de mi corazón. Digo esto porque cada vez que tengo que lidiar con niños que sufren, ya sea física o emocionalmente, o ambos, me conmueve como ninguna otra situación con la que tengo que lidiar. Siendo un niño enfermizo también, hasta el día de hoy recuerdo las noches solitarias que pasé en el hospital que especialmente se sentía una sensación de pavor después que bajaba el sol. Estoy hablando de mi experiencia que sucedió hace más de cincuenta y nueve años.

UNA BEBÉ SORDA ES SANADA

Estuve en Denver, Colorado, hace un par de años, cuando surgió una situación que no encuentro muy a menudo. Me trajeron una bebé recién nacida, quizás de unos pocos meses de edad, para que orara por ella. Fue su abuela, no su propia madre, quien hizo esta solicitud. Más tarde descubrí que la madre no estaba sirviendo a Dios en ese momento y parecía que estaba algo amargada por el hecho de que su bebé había nacido sin la capacidad de oír. Como he dicho anteriormente en el libro, no oro por nadie sin evaluar la situación para descubrir de parte de Dios por qué una enfermedad o dolencia ha caído sobre la persona por la que voy a orar. Podía sentir el amor que la abuela sentía por la bebé, pero al mismo tiempo también sentía un gran amor por su hija. Sentí en mi espíritu que la abuela esperaba que, con la sanidad de la bebé, su mamá regresara al Señor. Cuando recibí mis instrucciones específicas del cielo sobre cómo iba a lograrse esta sanidad, le pedí a la abuela que extendiera a la bebé y descubriera sus oídos para poder soplarlos antes de orar una oración de fe. Sabía que esto sería un desafío, porque, por supuesto, no puedes realmente comunicarte con un bebé, o al menos no puede responderte con ningún tipo de palabras. Recuerdo haber pensado: ¿Cómo es qué Dios va a confirmar esto? Mi respuesta llegó inmediatamente después de la oración, porque sin pedirle, la abuela le hablo por su nombre a la bebé. Cómo sabría esta bebé su nombre, hasta este día no he podido descifrar ese detalle. Pero inmediatamente después de llamarla, la bebé hasta ese momento no respondía realmente a ningún tipo de voz o ruido, volvió la cabeza hacia su abuela y le regaló la más grande sonrisa de amor que un bebé puede dar. Cuando vi eso, casi me suelto llorando. Me costó un gran esfuerzo no llorar con la abuela, regocijándose tanto que su Dios había sanado milagrosamente a su nieta. Hasta el día de hoy, cuando revivo esta experiencia, las lágrimas de nuevo brotan de mis ojos y le agradezco a Dios que tengo un asiento en primera fila para ver al Creador del universo hacer lo que solo Él puede hacer.

DIVERSOS GÉNEROS DE LENGUAS

UN ERROR COMÚN EXPUESTO

Por definición, el don de Diversos Géneros de Lenguas es una expresión sobrenatural y un mensaje a la **IGLESIA** que requiere una interpretación. Este don **NO** es la misma experiencia inicial cuando uno recibe el bautismo del Espíritu Santo. Hay tanta confusión en el mundo cristiano acerca de esto, llegando a la conclusión de que el don de Diversos Géneros de Lenguas es la misma experiencia que el bautismo del Espíritu Santo. Un examen más detallado de las Escrituras nos ayuda a comprender que en realidad son dos experiencias diferentes, aunque se oyen de manera similar. Recibir el bautismo del Espíritu Santo y hablar en otras lenguas (**DOREA**) no es la palabra griega que Pablo usa en Corintios para describir el don de Diversos Géneros de Lenguas (**CHARISMA**). Su propósito también es diferente, ya que **DOREA** está conectado con el plan de salvación, de acuerdo con Hechos 2:38, y es para la edificación personal. **CHARISMA**, por otro lado, es un mensaje para la iglesia y debe ser interpretado.

LA INTERPRETACIÓN DE LENGUAS

INTERPRETACIÓN NO TRADUCCIÓN

Esta interpretación en realidad dará el tema del mensaje que acaba de ser dado en lenguas. El mensaje es una interpretación, **NO** una traducción. Cuando recién fui salvo y comencé a experimentar esto en la iglesia, a veces no me cabía en la cabeza por qué el mensaje dado en lenguas y su interpretación eran de diferente duración. Lo que pude entender después fue como un intérprete en la corte, una persona que es usada de esta manera durante un servicio en la iglesia resumirá el mensaje de la manera que resulté más cómodo para ellos. También hay preguntas cuando se da una interpretación a más de una persona en la congregación y comparan lo interpretado después del servicio, por lo general hay un desacuerdo entre los dos porque una interpretación fue más elocuente que la otra. Sea como fuere, no hay una sola forma en particular de interpretar un mensaje en lenguas. El factor más importante que considerar es este: interprete el mensaje y Dios se encargará del resto.

Cuando el Señor comenzó a usarme de esta manera, tenía tanto miedo de decir algo incorrecto. Era tan inseguro en ese tiempo y aparte era algo perfeccionista, el Señor realmente tuvo que darme un coscorrón en la cabeza para que yo entregara el mensaje en inglés que quería que la iglesia escuchara. Después de un período de tiempo con mucha más experiencia, el movimiento emocional de mi espíritu disminuyó hasta el punto en que, si el Señor me pide que interprete un mensaje de lenguas hoy, todo lo que necesita hacer es tocarme suavemente en el hombro y respondo acuerdo como pide.

LA MAYOR TENTACIÓN

La mayor tentación que debe evitarse es tratar de agregar a la interpretación más de lo que el Señor le ha dicho que diga. Recuerdo un momento chistoso durante un servicio de Navidad. Hasta el día de hoy, no recuerdo la profecía en sí misma, excepto por cómo terminó. Todo lo dicho parecía estar en orden hasta que la persona que profetizaba terminó el mensaje con "¡y tengan una Feliz Navidad y un feliz año nuevo!" Por supuesto, toda la congregación estalló en carcajadas, y aunque puede que no haya sido directamente de Dios, debemos tener cuidado de no agregar más de lo que se nos ha dicho que digamos.

EL DON DE PROFECÍA

El don de profecía en realidad se divide en dos partes. Hay un nivel bajo y un nivel alto dado a nosotros para ser efectivos en nuestro servicio a Él.

DOS NIVELES DE PROFECÍA

Nivel bajo de Profecía incluye exhortación, motivación y aliento. Nuestros mejores predicadores y maestros se mueven en este don de manera tan efectiva que pueden hacer que un sermón o una lección de una hora aparezca como solo quince minutos, dejando a la congregación cautivada por cada palabra que sale de sus bocas. Siempre hay una gran necesidad de profecía de nivel bajo.

La Profecía de nivel alto, por otro lado, es en realidad la historia escrita de antemano y que predice el futuro. De las varias veces que he profetizado sobre las personas, el ejemplo que mencionaré a continuación es uno de mis favoritos.

UN JOVEN INTENTA ENGAÑARME

Hace años, estaba tratando con un joven que tenía severos problemas físicos. El Señor inmediatamente me ayudó a entender que estos problemas, aunque eran físicos, realmente eran causados por un problema espiritual que necesitaba ser remediado. Le dije que el Señor me había revelado acerca de un pleito que tuvo con su madre. En este caso en particular, su madre fue la agresora y quién provocó la discusión que finalmente terminó en un pleito tan severo que ninguno de los dos se había hablado por años. Mientras el Señor me desenvolvía esta situación, también Dios le estaba pidiendo al joven que tomara la responsabilidad de arreglar las cosas con su madre malhablada. Por supuesto, se opuso desde el principio porque realmente no fue su culpa que la relación hubiera llegado a esos extremos. Si ella no hubiera perdido los estribos y no le hubiera dicho todas las cosas que le dijo, es probable que las cosas se hubieran resuelto desde mucho antes.

Él insistía en que no le pediría perdón bajo ninguna circunstancia, hasta que, de la nada cambió completamente su actitud. De un momento a otro se calmó, pero luego dijo algo que me hizo preguntar por qué. Dijo que estaría dispuesto a hacer lo que le estaba pidiendo, pero sería imposible porque había perdido el rastro de su mama. Se había mudado de donde había estado viviendo en el pasado y el último número de teléfono que tenía de ella estaba desconectado. Entonces apareció en él una mirada de orgullo, momentos después de que dijo que por mucho que quisiera arreglar las cosas, todo indicaba que no sería posible. El Don de Profecía cayó sobre mí, y esto fue lo que le profeticé. "En tres días, de la nada, recibirás una llamada telefónica de tu madre. Entonces tendrás la oportunidad de hacer lo que te he pedido, y si es así, Dios te sanará en ese mismo momento". Él se rio sarcásticamente de la profecía, diciéndome que eso nunca sucedería. Entre grosero e irrespetuoso, continuó expulsando sus críticas hacia mí. Después que se alejó de mí, realmente no pensé que volvería a saber más de él.

Aproximadamente cinco días después, recibí una llamada telefónica de una persona que no podía reconocer. Como estaba emocionalmente alterado y llorando, no podía entender una palabra de lo que decía. No fue hasta que amenacé con colgar que este hombre se calmó y me di cuenta de que era el joven al que le acababa de profetizar hacía apenas cinco días. Entonces le pregunté qué pasó. Con la voz quebrada, seguía repitiendo la pregunta: "¿Cómo sabías?" Lo detuve suficiente tiempo para hacerle una pregunta: "¿Y qué pasó?" Una vez más se puso muy emocional y dijo que todo sucedió exactamente como le dije que pasaría. Él recibió una llamada telefónica de su madre, e inicialmente iba a colgar hasta que en su espíritu siguió escuchando mi voz en su cabeza, diciéndole que este era el momento no solo de hacer las cosas bien, sino que con eso Dios lo sanaría. En su obediencia, le pidió a su madre que lo perdonara e inmediatamente la gloria del Señor cayó sobre él y lo sanó en ese momento. Incluso entonces sabía que necesitaba hacer una cosa más, y eso era hacer las paces conmigo. Jamás imagino que el resultado que estaba experimentando fuera posible. Por otra parte, el ministerio profético permite que lo imposible encuentre su camino en la vida de aquellos que no creen

AGRUPANDO LOS DONES DEL ESPÍRITU SANTO (DIAGRAMA)

Ahora podemos tomar el tiempo para revisar lo que hemos aprendido sobre los dones del Espíritu Santo y cómo clasificarlos. Los cuadros a continuación le darán una mejor comprensión de lo que Dios ha establecido en el mundo espiritual.

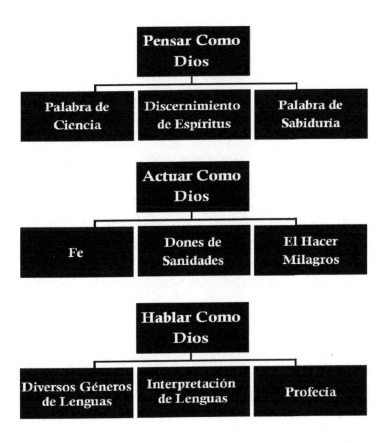

Porque irrevocables son los dones y el llamamiento de Dios.

(Romanos 11:29)

Cada vez que voy a una iglesia por primera vez y la gente observa la manera en que ministro en los Dones del Espíritu Santo, esto no solo genera muchas preguntas, sino también deseos de muchos a quienes les gustaría moverse en ese mismo ámbito. Están fascinados por la facilidad con que se realizan los milagros, casi como si Dios mismo los estuviera realizando (lo que realmente es). De hecho, el Señor no permite que la gente vea lo que hay en mi corazón y lo que pasa en mis pensamientos, porque si ese fuera el caso, descubrirían que la mayoría de las veces que estoy ministrando, me estoy muriendo de miedo por dentro. En mis experiencias, observar a personas que son excelentes en lo que hacen, es mucho más complicado de lo que parece. Las personas talentosas y dotadas pueden hacer que las tareas más complejas parezcan muy fáciles, dando una falsa impresión a aquellos que los observan de que ellos también podrían hacer lo mismo con los mismos resultados. Hay mucho más para obtener un poderoso ministerio dotado de lo que parece. Las Escrituras a continuación verifican lo que acabo de escribir. Trabajando en los dones del Espíritu

Santo no es un trabajo, sino un llamado, y si las personas no son llamadas a este ministerio, estarán en el camino equivocado. Si les preguntaran a los hijos de Esceva, ellos también podrían confirmarlo. Miren lo que les sucedió después de que imitaron el ministerio del apóstol Pablo.

DONES NO SON PARA ESPECTÁCULO

Pero algunos de los judíos, exorcistas ambulantes, intentaron invocar el nombre del Señor Jesús sobre los que tenían espíritus malos, diciendo: Os conjuro por Jesús, el que predica Pablo. Había siete hijos de un tal Esceva, judío, jefe de los sacerdotes, que hacían esto. Pero respondiendo el espíritu malo, dijo: A Jesús conozco, y sé quién es Pablo; pero vosotros, ¿quiénes sois? el hombre en quien estaba el espíritu malo, saltando sobre ellos y dominándolos, pudo más que ellos, de tal manera que huyeron de aquella casa desnudos y heridos.

(Hechos 19:13-16)

La diferencia entre convertirse en un experto en el ámbito físico y obtener una especialidad en el ámbito espiritual es que si en el primero, decides abandonarlo todo después de que se vuelva rutinario o que ya no traiga satisfacción, lo puedes hacer sin que esto se vuelva en un delito capital. En cuanto a hacer lo mismo en el ámbito espiritual, las consecuencias pueden resultar fatales si el Señor decide terminar tu vida en vez de solo quitarte ese don.

> *Todo pámpano que en mí no lleva fruto, lo quitará; y todo aquel que lleva fruto, lo limpiará, para que lleve más fruto.*
>
> *(Juan 15:2)*

Por otro lado, he visto a siervos de Dios recaídos seguir ministrando poderosamente sin demostrar ningún declive en su éxito, mientras que al mismo tiempo viviendo en pecado, cometiendo adulterio, experimentado en la pornografía, estafando las finanzas de la iglesia, intimidando su congregación, etc. ¿Será que el Señor se ha ablandado en esta última generación?

La respuesta es un rotundo no, que también puede explicarse por las Escrituras que encontramos en Mateo 7:21-23:

> *No todo el que me dice: Señor, Señor, entrará en el reino de los cielos, sino el que hace la voluntad de mi Padre que está en los cielos. Muchos me dirán en aquel día: Señor, Señor, ¿no profetizamos en tu nombre, y en tu nombre echamos fuera demonios, y en tu nombre hicimos muchos milagros? Y entonces les declararé: Nunca os conocí; apartaos de mí, hacedores de maldad.*

Practicar iniquidad significa que, para tener éxito en esta vida, seguir la ley puede a veces ser esquivada. Esta forma de pensamiento lleva a la creencia de que "el fin siempre justifica los medios," sin importar a dónde los lleve. Eso puede funcionar en un mundo apartado de Dios, no obstante, guardar la ley de Dios trae bendición a las vidas de quienes la obedecen.

Guarda mis mandamientos y vivirás, Y mi ley como las niñas de tus ojos.

(Proverbios 7:2)

La frase, "niña de tus ojos" se refiere a algo o alguien que uno aprecia por encima de todo lo demás. Los mandamientos de Dios no pueden ser alterados, ajustados, adaptados, enmendados, modificados o reformados para ajustarse a nuestra agenda. Estas instrucciones nos fueron dadas para seguirlas tal y como están escritas sin tratar de estar adivinando la Palabra de Dios. Jesús nos dijo rotundamente: "Si me amáis, guardad mis mandamientos." (Juan 14:15)

REY CIRO: SIERVO DE DIOS

Así de difícil como es conciliar esta Escritura con siervos de Dios desobedientes y pecaminosos, permítanme fortalecer el argumento con el ejemplo del Rey Ciro en el Antiguo Testamento. Este era un rey pagano que no conocía al Señor. Isaías recibió instrucciones de escribir esto sobre él:

> *Así dice Jehová a su ungido, a Ciro, al cual tomé yo por su mano derecha, para sujetar naciones delante de él y desatar lomos de reyes; para abrir delante de él puertas, y las puertas no se cerrarán: Yo iré delante de ti, y enderezaré los lugares torcidos; quebrantaré puertas de bronce, y cerrojos de hierro haré pedazos; y te daré los tesoros escondidos, y los secretos muy guardados, para que sepas que yo soy Jehová, el Dios de Israel, que te pongo nombre.*
>
> *(Isaías 45:1-3)*

El Señor en realidad usó a este pagano para hacer que Israel se arrepintiera y regresara humillado al Señor. ¿Eso significa que el rey Ciro fue admitido al cielo independientemente de su vida pecaminosa? Lo dudo, porque el pecado es pecado y "El alma que pecare, esa morirá" (Ezequiel 18:20). Si un pecador es todo con lo que Dios cuenta para traer juicio a Sus hijos, aquí vemos un gran ejemplo de esta realidad.

CÓMO EMPEZAR

Toda buena dádiva y todo don perfecto desciende de lo alto, del Padre de las luces, en el cual no hay mudanza, ni sombra de variación.

(Santiago 1:17)

BUSQUE A DIOS NO LOS DONES

Las preguntas que más me hacen son estas, "¿Cómo comenzaste a ministrar como lo haces? y ¿es posible que cualquiera pueda también lograr hacerlo?" Cuando les respondo, la mayoría de las veces se sorprenden porque es difícil para ellos creer que lo que les digo es la verdad. Siempre contesto a cualquiera que me pregunta y que está dispuesto a escuchar que antes que nada, nunca le pedí a Dios por ningún don. Poco después de ser salvo, estaba teniendo dificultades para encontrar mi lugar en Dios. He mencionado esto en libros anteriores que honestamente creía que Dios había cometido un error al llamarme al ministerio porque no tenía ninguno de los atributos naturales como la mayoría de los siervos de Dios que me permitiría ser un ministro con éxito. No era un líder natural con personalidad carismática. Era considerado más bien del lado tímido, algo callado y introvertido. No era una persona sociable y estaba bastante cómodo con el papel de "seguir al líder". Al mismo tiempo, el deseo ardiente de ser usado por Dios era abrumador y simplemente no podía reconciliar la paradoja que era yo. La única forma en que podía escapar esta inquietud en mi vida cristiana era escapar a la presencia de Dios, pasando horas y horas, sintiéndome más cómodo allí que en cualquier otro lugar. Me convertí en un magnífico adorador y el tiempo en su presencia significo más para mí que cualquier otra cosa. Sin que yo lo supiera, estaba construyendo una base para ser usado por Dios en lo milagroso, y sin pedirlo. Mi relación con Él no solo conmovió mi alma, sino que también me abrió la puerta para permitirle al Señor confiarme sus secretos. Así es como comenzó todo, y hasta el día de hoy continúa creciendo por Su gracia.

Cualquiera que haya tenido éxito en cualquier área de la vida, espiritual o no, siempre ha tenido a alguien que lo ha tomado de la mano y a compartido lo que han aprendido y experimentado. En mi caso, esa persona es el Evangelista Freddy Clark de Rocky Mount, Virginia. Hasta ese momento en mi vida (principios de mis cuarenta años) nunca había visto a nadie ser usado por Dios en la forma en que el Señor usa al hermano Freddy. La Palabra de Ciencia, la Palabra de Sabiduría, los Dones de Sanidad, Hacer Milagros y el Don de Fe fluían con tanta libertad y con tanta fuerza que recuerdo haberme preguntado por qué más hombres y mujeres de Dios no han permitido que Dios los use de este mismo modo. A decir verdad, la mayoría de las personas no están viviendo la vida cristiana que representan en público, y si se descubriera, serían llamados a ser por lo que realmente son, hipócritas y fraudes.

Luego asistí a uno de sus seminarios de tres días y nunca he sido el mismo desde entonces. Aunque ya habían orado por mí para recibir los dos dones que le había pedido a Dios, parecía que mi fe no era lo suficientemente grande como para lanzarme con la fe que se necesitaba para tener éxito. Debido a que no estaba dispuesto a ministrar exactamente de la manera de mi mentor, hice un ajuste en la forma de ministrar que me permitió dar pequeños pasos. En lugar de llamar a varias enfermedades en público, comencé a susurrar al oído de quienes ministraba. Fue entonces que el Señor comenzó a diferenciar mi ministerio de sanidad del ministerio del Hno. Clark. El fuerte de mi ministerio al usar la Palabra de Ciencia hoy en día me ayuda a lidiar secretamente con los problemas emocionales y/o espirituales sin vergonzosamente humillar a los en necesidad.

Estos son los tipos de problemas que, si se anuncian en público, causarían vergüenza total a la persona a la que estoy tratando de ayudar. No es tan dinámico como la forma antigua en el pasado, pero, por otro lado, facilita mucho para la persona que está sufriendo sea libre. ¿Por qué es esto importante? En primer lugar, no hemos sido dotados para montar un espectáculo. Ministrar en los dones está diseñado para sanar y liberar a los cautivos, no para glorificar o inflar a la persona dotada que está ministrando.

PRACTICE, PRACTICE, PRACTICE

Ahora, para tener éxito en tus dones, necesitas saber cómo funcionarán ese don o dones. La única forma en que podrás saber esto es a través de la PRÁCTICA. Eso significa que entrarás en un período de prueba y error, uno que pondrá a prueba tu valentía para continuar y ver si tienes el valor para seguir cuando las cosas se ponen difíciles. Con mucha práctica, después de un tiempo se formará un patrón, en el cual puedes confiar. A veces, no es necesario que se forme un patrón, ya que una vez que se sabe qué tipo de enfermedad o enfermedades se están lidiando y cuál es la causa, esto inmediatamente permite que tu fe se dispare a un nivel más alto. Esto me ha pasado cada vez que trato con personas que sufren de fibromialgia. Una vez que escucho esa enfermedad, mi fe entra en modo turbo hasta el punto de que no tengo dudas de que esa persona será sanada. Yo estimaría que, de las cincuenta personas, más o menos, por las que he orado, solo dos no han sido sanadas instantáneamente de esta enfermedad.

DESQUITE

Hay una conexión más que me gustaría hacer sobre mi ministerio en particular de sanidad que no puedo probar bíblicamente, pero tiene mucho sentido para mí. Cuando tuve polio a la edad de cinco años, uno de los problemas con los que tuve que lidiar fue una columna torcida. Incluso después de haber sido sanado milagrosamente por el Señor, me dijeron que tenía que usar un yeso para ayudar a enderezar mi columna vertebral. Era un molde removible hecha de yeso (hoy creo que están hechos de plástico duro), y era mi armadura hasta que me iba a dormir por la noche. Mencionar esto es importante, porque cada vez que tengo que tratar con personas con problemas de espalda, ya sea estenosis espinal, espina bífida, discos abultados, nervios pinzados, osteoporosis, ciática, etc., casi siempre sanan. Creo que es un desquite contra satanás, quien intentó matarme a la edad de cinco años, lo que por supuesto no le funcionó.

Una de las mejores lecciones que he aprendido al usar los dones del Espíritu Santo es que, según Santiago 1:17, toda buena dádiva y todo don perfecto desciende de lo alto. Que tan exitosos esos dones son dependen de la persona sobre la cual haya caído ese buen don. En otras palabras, nuestros dones en Dios variarán en tipo, intensidad y propósito de acuerdo con Su voluntad. Sin embargo, nuestro

Dios siempre es fiel y nuestro Dios no cambia. ¡Él es el mismo ayer, hoy y siempre!

¿Cómo exactamente recibimos nuestros dones y cómo crecen para ser efectivos?

LA SEMILLA ESTÁ EN SÍ MISMA

> *... árbol de fruto que dé fruto según su género, que su semilla esté en él....*
>
> *(Génesis 1:11)*

El Señor nos deja un gran ejemplo de cómo se perfeccionan nuestros dones. Comienza en forma de semilla, que proviene de la misma fruta. Una vez que un árbol frutal produce su fruto, las semillas de ese fruto se pueden replantar para cultivar otro árbol, que a su vez dará más fruto. La semilla del don sale del don en sí mismo, en consecuencia, cada persona dotada de la cual aprendes te brinda la posibilidad de duplicar ese don. Por ejemplo, ¿nunca se han dado cuenta de que las iglesias pastoreadas por un gran predicador también producen grandes predicadores? ¿o porque es qué las iglesias con un gran ministerio de música ya sean cantantes, músicos o ambos, parecen reproducirse con otra generación de grandes ministros de música? Finalmente, un pastor que da generosamente a misiones siempre producirá una congregación de dadivosos, ya que se convierte en una segunda naturaleza para ellos dar sacrificialmente porque entienden las bendiciones que se les devuelven en abundancia. Finalmente, imponer las manos sobre alguien no necesariamente le dará a alguien un don del Espíritu Santo, solo aprieta la tierra donde la semilla ha sido plantada, ordenando y comisionando que la semilla crezca.

A medida que sigas creciendo en tus dones, encontrarás que definidas señales te seguirán.

> *Y estas señales seguirán a los que creen: En mi nombre echarán fuera demonios; hablarán nuevas lenguas; tomarán en las manos serpientes, y si bebieren cosa mortífera, no les hará daño; sobre los enfermos pondrán sus manos, y sanarán.*
>
> *(Marcos 16:17-18)*

Al principio cuando inicié en el uso de mis dones, debido a la falta de experiencia y fe, elegí el camino seguro copiando palabra por palabra y paso a paso las cosas que mi mentor usaba con éxito en su ministerio. Pronto descubrí que, después de fallar miserablemente, el Señor estaba dispuesto a darme mis propias señales únicas para ayudarme a obtener mi confianza en Él. Como mencioné anteriormente, mientras que el fuerte del ministerio de Freddy Clark está en la sanidad física, yo hoy en día me concentro en los problemas emocionales y espirituales, susurrando al oído para que la vergüenza o la culpa no estorbe el proceso de sanidad.

EJEMPLOS DE SEÑALES

El Señor usa señales que resultan ser la prueba de que la sanidad se está llevando a cabo o que se ha logrado. Por ejemplo:

- Remover el dolor
- Remover rigidez, bultos o tumores
- Calor de cuerpo completo es una señal de transfusión de sangre
- Partes del cuerpo con calor aislado muestra que esa parte se está sanando
- Después de echar fuera el espíritu de nicotina, el sabor de la nicotina desaparece
- Después de echar fuera el espíritu de alcoholismo, el olor del alcohol se va
- Un fibriloaleteo auricular es revelado por la visión de una mariposa

- Sacar una cuerda imaginaria de la garganta sana condiciones de la garganta
- Una radiografía de cuerpo completo revela dolor en ciertas áreas del cuerpo
- Soplar en los oídos sordos y se abren
- La sanidad parcial es una señal de que Dios aún no ha terminado
- La amnesia espiritual borra la memoria de los pecados pasados
- El aceite en la palma de las manos es una señal de una unción especial
- El mencionar nombres específicos
- Lidiando con dolor en el lado izquierda del cuerpo

De todas las diferentes señales referidas anteriormente, me gustaría elegir tres de ellas para dar un ejemplo y explicar con más detalle cómo Dios bendice en Su reino.

UNA SEÑAL QUE NUNCA OLVIDARÉ

La primera vez que vi al evangelista Freddy Clark ministrar había tantas cosas que hizo esa noche, no pude concebir la mayoría de ellas. Pero hubo una cosa que hizo que nunca, nunca olvidaré. Aunque el servicio había durado mucho y la mayoría de la gente ya se había ido, hizo algo que nunca había visto antes. Hizo que una joven levantara las manos y luego le hizo una pregunta: "Hermana, ¿le has estado pidiendo a Dios una unción?" Mientras afirmaba con la cabeza, que sí, él respondió con estas palabras. "Extiende tus manos y míralas". Para su sorpresa, sus manos estaban goteando aceite. Luego dijo: "No las toques", y procedió a mostrarle al pastor sus manos como prueba de lo que Dios acababa de hacer. Luego tocó el aceite de una de las palmas y caminó hacia el otro extremo del santuario y comenzó a ungir a las personas con el aceite en sus manos. Estaba un poco afligido, porque estábamos en el otro extremo del edificio y sabía que no quedaría suficiente aceite para ungirnos a nosotros. Continuó ungiendo y orando por cada persona, y cuando finalmente llegó a mí después de unas 200 personas, todavía tenía aceite fluyendo de su mano. A partir de esa noche, tuve una unción inesperada que creo que todavía tengo en mi ministerio, y parece que se está fortaleciendo cada vez más.

DIOS LLAMA SU NOMBRE: ROSA

Hubo otra ocasión mientras predicaba un avivamiento, vi a Dios hacer algo extraordinario las dos primeras noches de esa reunión. Un miembro de la iglesia local estaba evangelizando a una mujer que estaba adicta a las drogas. No importa cuán fuerte en el pasado había intentado liberarse, siempre regresaba a lo que la había atado durante años. Realmente no recuerdo el mensaje que prediqué esa noche, pero tuvo algún efecto en ella porque, a pesar de que ella entró a la iglesia drogada, la oración que hice por ella la liberó por completo. Aunque había tomado la decisión de no volver a usar drogas, estaba muy consciente del hecho de que tendría que pasar por un proceso de desintoxicación. Esa noche se fue preparada para lo peor, pero lo peor nunca llegó. Se despertó al día siguiente completamente sobria, y estaba tan agradecida por el milagro que Dios había hecho en su vida, que quería regresar a la iglesia esa noche para demostrar su agradecimiento. Personalmente, sin saber lo que había sucedido, al prepararme para el servicio de la noche, el Señor puso en mi mente predicar un mensaje titulado: "Déjalo Desplegar". Incluía el poema que está a continuación. Poco sabía del gran impacto que tendría en ella. Aquí está:

Desplegando el Capullo de Una Rosa
Por Pastor Darryl L. Brown.

Es solo un pequeño capullo de rosa,
Una flor del diseño de Dios;
Pero no puedo desplegar los pétalos
Con estas torpes manos mías.
El secreto de desplegar flores
No es conocido para mí.
DIOS abre esta flor tan dulcemente,
Cuando en mis manos se desvanecen y mueren.

Si no puedo desplegar un capullo de rosa,
Esta flor del diseño de Dios,
Entonces, ¿cómo pensar que tengo sabiduría
Para desplegar esta vida mía?

Así que confiaré en Él por su dirección
En cada momento, de cada día.
Buscaré a Él por su guía
Cada paso de mi camino peregrino.

El camino que se encuentra ante mí,
Solo mi Padre Celestial lo conoce.
Confiaré en Él para desplegar los momentos,
Así como Él despliega la rosa.

A medida que avanzaba en el mensaje, la palabra de Dios la conmovió mucho. En realidad, fue la lectura del poema en varias ocasiones en el mensaje lo que la quebrantó por completo. Llorando sin reserva, cuando terminé, ella vino al altar y Dios la llenó del bautismo del Espíritu Santo, hablando en lenguas por primera vez. Más tarde descubrí que no era tanto mi predicación lo que la conmovió, sino que tenía más que ver con el poema porque lo había tomado personalmente. ¿Por qué tuvo tanto impacto en ella? La razón es que ella se llamaba Rosa. Al ella buscar una vida mejor, el Señor sabía a dónde enviarla para poder hablar con ella directamente y hacer que ella entendiera que, aunque había vivido una vida miserable, una vida que a nadie le importaba, el Señor la había estado esperando solo para Él poder llamarla por su nombre.

LAS LENGUAS MÁS HERMOSAS QUE HE ESCUCHADO

Este último testimonio ocurrió a principios de este año (2019) mientras ministraba en Canadá. Como no estaba familiarizado con el país, las programaciones de nuestra visita estaban muy retiradas. Uno de los sábados teníamos que salir de nuestro hotel antes del mediodía y nuestro servicio ese día no comenzaba hasta las 6:30 p.m. El camino era de aproximadamente 2½ horas de lejos.

Esperamos en el auto hasta que comenzó el servicio y no terminamos de ministrar hasta la medianoche. Luego manejamos de nuevo otras dos horas hasta la ciudad donde estaríamos ministrando el domingo. Finalmente llegamos a dormir a las 2:30 a.m., y a las 6 a.m. me desperté para prepararme para el servicio de la mañana. Nos apresuramos para llegar a nuestro próximo destino, que estaba a otras dos horas de distancia, tratando de descansar, aunque fuera un momento como para tener fuerzas suficientes para terminar el día. No podía librarme del cansancio hasta que sucedió algo milagroso. De la nada, una brisa, que mi esposa y yo creemos que eran ángeles, trajo alivio a nuestros cuerpos cansados e inmediatamente todo el cansancio se fue. No había otra forma de explicarlo porque no había ninguna puerta abierta que permitiera que esa brisa entrara. Pude predicar, pero ese mismo cansancio volvió a caer sobre mí. Debido a la falta de tiempo, solo pudimos ministrar a una joven que tenía un gran deseo de recibir el Espíritu Santo. Debido a su incertidumbre para tratar con nosotros, le pregunté al pastor antes de comenzar a orar por el Espíritu Santo si podía tomarse un tiempo para calmarla. Cuando él y su esposa se hicieron cargo, sucedió algo sorprendente. Con sus nervios calmados, comenzó a adorar a Dios, y poco tiempo después comenzó a hablar en otras lenguas.

Me maravillé de lo que estaba sucediendo porque los idiomas (sí, más de uno) eran los más hermosos que había escuchado. Podría haber jurado que había algunas palabras que podía entender y, sin embargo, la mayoría de lo que decía no era comprensible. Cuando finalmente se calmó y nos dio las gracias, hice un comentario sobre lo hermoso que estaba hablando, de una manera que nunca había experimentado. Luego dijo esto, lo que me sorprendió: "Le pedía al Señor que cuando me llenara de Su Espíritu, quería hablar en francés, italiano y portugués". Después de escuchar esas palabras, entendí por qué pude entender algo de lo que estaba diciendo. Justo cuando pensaba que lo había visto todo, el Señor a través de Su Espíritu hace algo nuevo y diferente para sorprenderme.

TRATANDO CON CÁNCER

Dejé el tema del cáncer hasta el final porque debe tratarse de manera algo diferente que las otras enfermedades. El cáncer es una maldición y es un espíritu porque está unido al torrente sanguíneo y la vida está en la sangre (Deuteronomio 12:23). Si tu espíritu puede vivir en tu cuerpo, entonces otros espíritus también pueden. El enemigo puede atacar tu cuerpo porque aún no hemos sido glorificados, pero el cáncer no puede llegar a la parte eterna en ti. Ten la seguridad de que tu cuerpo puede morir, pero el cáncer no puede matar tu alma.

Debido a que el cáncer es un espíritu, debes expulsar ese espíritu antes de poder maldecir el cáncer. No se puede vencer al cáncer deseando que desaparezca. Una vez que un espíritu es expulsado, debes hacer tres cosas para mantener tu sanidad:

1. Agradecer a Dios

Dad gracias al Señor, porque Él es bueno; porque para siempre es su misericordia.

(Salmo 118:29) LBLA

2. Testificar

Venid, oíd todos los que teméis a Dios, Y contaré lo que ha hecho a mi alma.

(Salmo 66:16)

3. Reprender al diablo

Y el ángel del Señor dijo a Satanás: El Señor te reprenda, Satanás....

(Zacarías 3:2) LBLA

ECHAR A SATANÁS A LAS PROFUNDIDADES

Cuando el espíritu inmundo sale del hombre, anda por lugares secos, buscando reposo; y no hallándolo, dice: Volveré a mi casa de donde salí.

(Lucas 11:24)

Debido a que satanás realmente hace su mejor trabajo en lugares secos, es contraproducente enviarlo allí. Es un lugar donde descansa y debemos sacarlo de su zona de comodidad y enviarlo a las profundidades donde están los corredores del infierno (las partes más baja de la tierra). Una vez enviado a las profundidades, el espíritu demoníaco no puede regresar a lugares secos. Esa es la razón por la cual Legión no quería ser enviado a las profundidades para ser juzgado y prefería un lugar donde pudieran vivir. Una vez dentro de los cerdos, los mismos cerdos se suicidaron ahogándose en el agua.

Y los demonios, salidos del hombre, entraron en los cerdos; y el hato se precipitó por un despeñadero al lago, y se ahogó..

(Lucas 8:33)

Una vez que se envía un espíritu a las profundidades, se dirige a la puerta en la región inferior de los condenados, luego al corredor en el lago de fuego que se encuentra en el centro de la tierra. La mayoría de los científicos te dirán que el centro de la tierra es un fuego líquido.

CÓMO DIOS HA USADO EL AGUA A TRAVÉS DE LA HISTORIA

Durante toda la eternidad, el Señor ha usado el agua efectivamente para hacer Su voluntad:

El agua se usó como un juicio cuando Lucifer fue expulsado del cielo y toda la tierra fue inundada.

Y la tierra estaba desordenada y vacía, y las tinieblas estaban sobre la faz del abismo, y el Espíritu de Dios se movía sobre la faz de las aguas.

(Génesis 1:2)

El agua estaba presente cuando Jesús murió en el Calvario.

Pero uno de los soldados le abrió el costado con una lanza, y al instante salió sangre y agua.

(Juan 19:34)

El agua es una parte esencial de la salvación.

Respondió Jesús: De cierto, de cierto te digo, que el que no naciere de agua y del Espíritu, no puede entrar en el reino de Dios.

(Juan 3:5)

ECHANDO FUERA UN ESPÍRITU DE CÁNCER

Cada espíritu es semejante al dios al que sirve, grotesco y pervertido. Si se saca el espíritu del cuerpo donde se encuentra el tumor, eventualmente mostrará señales de muerte. Tienes que expulsar la vida de esa enfermedad primero antes de que comience el proceso. La mayoría de las veces no desaparecerá de inmediato, pero con el tiempo se desprenderá, morirá, será absorbido por el torrente sanguíneo o por los poros. Es muy similar al proceso que atraviesa el cuerpo cuando se cura una costra. Poco a poco comienza a caerse y finalmente desaparece por completo. No te dejes intimidar por lo que no ves. Hay cosas que suceden en el reino espiritual que no son visibles a simple vista. Sin embargo, las promesas de Dios son verdaderas y debemos mantenernos firmes cuando no hay una confirmación visible.

Todavía estoy en las etapas de aprendizaje cuando se trata del cáncer. Ha habido ocasiones en el pasado cuando he tratado con esta enfermedad como cualquier otra. Hubo ocasiones en que la gente fue sanada y otras veces no pasó nada. Ha sido una experiencia tan impredecible para mí que me ha sido difícil ganar terreno en la comprensión de cómo lidiar con el cáncer.

Recientemente, traté con dos mujeres que vivían a 1,200 millas de distancia. Ambas tenían cáncer en etapa IV en la misma área (el estómago). Una de ellas tenía poco más de treinta años, mientras que la otra tenía más de sesenta años. Ministré a la más joven en su iglesia local y con una Palabra de Ciencia el Señor me reveló dónde estaba la raíz del problema. Estaba en su matrimonio y en cómo estaba reaccionando al ser verbalmente abusada. Cuando le dije al oído lo que estaba sintiendo en el Espíritu, ella empezó a llorar admitiendo que era verdad. Mientras el llamado al altar continuaba, Tome a ambos, al esposo y la esposa, y les dije lo que había que hacer para ser sanada. Debido a las limitaciones del tiempo, no estoy seguro de si siguieron mis instrucciones o no. Lamentablemente, murió varios meses después, dejando atrás a sus hijos en edad escolar.

Por otro lado, la mujer de sesenta años fue tratada de manera completamente diferente. El tumor estaba en la misma área, pero mis instrucciones para ella no se parecieron en lo más mínimo a lo que hice al tratar con la mujer más joven. Le dije que cuando oráramos, vomitaría el tumor y que todo estaría bien. Cuando la familia se reunió para orar, pude sentir en mi espíritu que había muchas dudas e incertidumbre sobre lo que había profetizado. Sin embargo, cuando oré por ella, ella comenzó a vomitar. Lo extraño de este hecho fue que todavía necesitaba someterse a quimioterapia y varios meses después fue declarada "libre de cáncer". Desahogada de que todo estuviera bien, fue sorprendida cuando varios meses después el cáncer volvió. Recientemente regresamos y oramos por ella y estamos creyendo en Dios por su sanidad. Cada caso es diferente y, a menos que se trate con muchas personas, tratar de encontrar un patrón para un éxito máximo es un proceso lento. Estoy esperando el día cuando trate con personas plagadas de cáncer y tenga la misma consistencia de éxito y confianza al tratar con este "asesino" de la misma manera que trato con la fibromialgia. Por alguna razón, cuando oro por las personas con la enfermedad de fibromialgia en particular, se sanan aproximadamente el 99 por ciento del tiempo.

EPÍLOGO

> *Pero no os regocijéis de que los espíritus se os sujetan, sino regocijaos de que vuestros nombres están escritos en los cielos.*
>
> *(Lucas 10:20)*

La iglesia de hoy está tan fascinada del espectáculo que esto ha ocupado un lugar central en nuestros servicios de adoración. Se ha convertido más en una vía de entretenimiento, centrándose en cada movimiento como algo sensacionalista para llevar a la congregación a solo disfrutar el momento. A medida que el Señor comienza a convencer a la iglesia de hoy, de la importancia de usar los Dones del Espíritu Santo para ganar almas, hay quienes se desviarán del enfoque de evangelismo y lo sustituirán por una experiencia de "¡oh!" y "¡ah!"

Hay otros que no usarán estos "dones" de la manera que Dios diseño que fueran usados. Tomando el ejemplo de la iglesia del Nuevo Testamento de Corinto, usando los dones sin disciplina y sin santidad, la iglesia de hoy está mezclando lo sagrado con la mundanalidad. Al igual que Corinto, creemos que el fin justifica los medios, y si no estamos siendo juzgados por tal transgresión, entonces no debe ser tan malo. No debemos cometer el mismo error. Reunámonos en esta última hora, evangelizando al mundo perdido, saliendo a las calles armados con los "Dones del Espíritu Santo".

George Pantages Ministries
Books Available in English

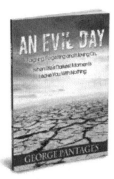
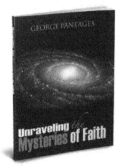

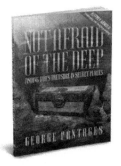

George Pantages Ministries
Cell 512-785-6324
GEOPANJR@YAHOO.COM

"¡Gracias por leer este libro! Si disfruto este libro o lo encontró útil, estaría muy agradecido si publicara un breve comentario en Amazon. Su apoyo realmente hace la diferencia.

¡Gracias de nuevo por su apoyo!"

George Pantages Ministries

Libros Disponibles en Español

George Pantages Ministries
Cell 512-785-6324
GEOPANJR@YAHOO.COM

Printed in Great Britain
by Amazon